RUSLAN RUSSIAN 3

John Langran

Ruslan Russian 3

First edition 2005, reprinted with amendments 2008

Ruslan 3 book	ISBN 189978540X
Ruslan 3 set of 3 audio CDs	ISBN 1899785418
Ruslan 3 audio CD 1, lessons 1-4	ISBN 1899785426
Ruslan 3 audio CD 2, lessons 5-7	ISBN 1899785434
Ruslan 3 audio CD 3, lessons 8-10	ISBN 1899785442
Ruslan 3 CDRom 1, lessons 1-4	ISBN 1899785477
Ruslan 3 CDRom 2, lessons 5-7	ISBN 1899785507
Ruslan 3 CDRom 3, lessons 8-10	ISBN 1899785612

Ruslan Limited - www.ruslan.co.uk

Introduction

Ruslan Russian 3 is a course in advanced Russian for adults and young people who have worked with Ruslan 1 and 2 or who have completed another intermediate Russian course. The material is suitable for preparation for AS and A2 level Russian and for other advanced targets such as the International Baccalaureate.

The course continues the storyline of Ruslan 1 and 2, but the format is different. Most of the action is in an extended narrative. There are a range of background information texts in each lesson, grammatical explanations and revision sections, a large number of exercises, materials for listening and speaking, and poems and songs.

There is no dictionary at the back of the book. At this level learners need their own dictionary.

Stress marks have been included in the vocabularies, grammar explanations and exercises. Most of the texts are recorded and you can check the stress in these passages by listening. Remember that when you are in Russia or dealing with original Russian texts, you will not have stress marks to help you.

There is supporting material for Ruslan 3 on the Ruslan website. This includes exercise keys, texts of listening passages that are not printed in the book, notes and advice for teachers and learners, updates on current issues, and some additional sound files. Please go to www.ruslan.co.uk/ruslan3.htm.

Learners at this level need to develop strategies for independent learning and this is encouraged in the structuring of many of the tasks that are offered. In particular it will help you to learn how to conduct an internet search in Russian.

The course is accompanied by three audio cds for lessons 1-4, 5-7 and 8-10.
A symbol on the page gives the number of the audio cd and the track for each recorded passage:

1/5 - CD1, track 5.

The interactive CDRom version of Ruslan 3 is also split over three cds. It is based on the DTI-prizewinning Ruslan CDRom template, and will be especially useful for learners working on their own or with limited help from a teacher.

John Langran
August 2008

Acknowledgments
Consultants: Nina Hilsdon, Mikhail Kukushkin, Peter Rodgers, Marina Strain.
Reading materials: Baikal Ecological Wave, Vassily Bessonov, Larissa Egner, Tanya Nousinova, Galina Wasson, Yulia Zarubinska, Valentina Zhukova.
Dialogue exercises: Tanya Nousinova.
Voices: Olga Bean, Larissa Belotsvetova, Larisa Egner, Aleksandra Galiabovitch, Vitaly Kisin, Mikhail Kukushkin, Nikolai Lipatov, Grisha McCain, Ekaterina Maksimova, Olga Pichugina, Andrey Timoshenko, Olga Volkova, and others.
Photos: Baikal Ecological Wave, Greenpeace (Russia), Nina Hilsdon, Josef Koudelka, Anna Kurchenko, RTRH Moscow, Chris Shephard, Mark Swift, Jadzia Terlezcka, Sergey Vasiliev, and others.
Illustrations: Leonid Kukushkin, Mikhail Kukushkin, Tom Milner-Gulland.
Songs: Valery and Galina Polyakov. A special thankyou to Timur Shaov for the use of his recording of “Мы пойдём своим путём”.

General Editor - Tanya Nousinova

СОДЕРЖАНИЕ

Грамматическое и лексическое содержание учебника

Урок 1

Past active participles in the nominative case.
Numbers in compound nouns and adjectives usually appear in the genitive.
The present tense can describe an action from the past that is still continuing.
лес has the nominative plural леса́.
сесть is used colloquially to mean "to run out" for batteries.
The indirect expressions есть хо́чется, etc, "to be hungry", etc.
The prefix по- with the meaning "to do a bit of", "to do for a short time".
про with the accusative to mean "about".
погиба́ть / поги́бнуть has the past perfective endings: он поги́б etc.
Adjectives with endings in -ический form adverbs in -ически.
не́куда, не́где, не́когда and не́зачем are used with the infinitive.
Adjectives from the names of family members and from diminutive names.
The word "free" has two renderings in Russian: свобо́дный and беспла́тный.
Imperatives - use of aspects.
The declension of soft adjectives.
To visit: посеща́ть / посети́ть and навеща́ть / навести́ть.
и can be used for emphasis.
посади́ть can mean "to put in prison".
за plus the accusative can mean "for" in the sense "to vote for ... " etc.
The use of заграни́ца - "abroad".
Revision of verb aspects

Урок 2

Past gerunds. Past gerunds of reflexive verbs.
ложи́ться / лечь has the past perfective: он лёг etc.
ошиба́ться / ошиби́ться has the past perfective: он оши́бся etc.
о́бласть can mean "an area" in the abstract sense "area of work".
Abbreviations used as nouns.
о́зеро has a stress change in the plural - озёра.
Masculine nouns that end in -ж, -ч, -ш or -щ have the genitive plural -ей.
The alternative feminine instrumental singular adjective ending in -ою or -ею.

Passive forms using the verb in the third person plural with они́ omitted.
развёртываться / разверну́ться - "to turn round" - and other verbs meaning "to turn".
хвата́ть / хвати́ть to render "to have sufficient of".
Compound nouns in Russian.
Noun diminutives in Russian.
похо́ж на - like, resembling.
ви́ден - visible.
програ́мма and переда́ча.
пе́сня - "a song" - has the genitive plural пе́сен.
Verbs with a stem in -ов or -ев.

Урок 3
Past passive participles - short form.
Past passive participles - long form.
The verbs начина́ть / нача́ть etc. are followed by an imperfective infinitive.
Numerals два, три and четы́ре with masculine nouns and adjectives.
When a perfective verb is formed with the prefix вы-, this prefix is always stressed.
The particle ли - "whether".
помога́ть / помо́чь - "to help" is followed by the dative case.
по is used with numerals to convey "each".
тре́боваться / потре́боваться is used in the third person only.
Ending a letter in Russian. С уваже́нием.
Adverbs from soft adjectives use the ending -е instead of -о.
по́мощь and other nouns that are followed by the dative.
по- with comparative adverbs suggests "a bit": побли́же - "a bit closer".
Adjectives formed from the names of trees: берёзовый - "birch".
Revision of verbs of motion

Урок 4
Present gerunds.
Words for berries are singular in Russian - смородина.
Adjectival nouns. Nouns that decline as adjectives.
Past active participles decline.
за can be used with the accusative to render "during" or "within" a period of time.
су́тки. Nouns that have plural forms only. Collective numerals.
идти́ is used for "to take to get there" with letters and parcels.
Пусть ... and Пуска́й ... - "Let ...".
When ка́ждый qualifies a number it declines in the plural.
Verbs that can take the genitive as well as the accusative.
Verbs that only take the genitive.
я́блоко - an apple - has the irregular nominative plural я́блоки.
солда́т has the irregular genitive plural солда́т.
переста́ть and встать form the imperative in -нь(те).
надое́сть is used impersonally and takes the dative case.
Many nouns in -ие are derived from verbs.
слеза́ - "a tear" - changes е to ё in the plural.
пла́кать - "to cry" - has the stem плач- and has different perfective forms.
каса́ться - "to affect" - takes the genitive case.
су́дно - "a boat, vessel" - has the irregular nominative plural суда́.
Revision summary of the use of cases. Case endings.

Урок 5
Present and past active participles decline.
The declension of surnames.
The declension of numerals два, три, четы́ре.
пиа́рщик - derived from the English "PR".
кри́тик and кри́тика
With мно́го the verb is put in the third person singular.

зарпла́та is an abbreviation of за́работная плата.
однокла́ссник and одноку́рсник.
угоща́ть / угости́ть - "to treat to" - takes the instrumental.
полтора́ - "one and a half".
позавчера́ and послеза́втра - "the day before yesterday", "the day after tomorrow"
благодаря́ - "thanks to" - takes the dative case.
The preposition о with the accusative to convey "up against".

Урок 6
Present active participles - revision.
Present passive participles.
настава́ть / наста́ть - "to come" when you are talking about a time.
The collective numerals - дво́е, тро́е etc. - decline.
из-под, followed by the genitive, is used to denote the use of a now empty container.
вдвоём, втроём, вчетверо́м.
устра́ивать / устро́ить - to suit - with the accusative case.
сам - oneself - has a full declension with stressed endings.
предпочита́ть / предпоче́сть - to prefer - has the past perfective он предпочёл, etc.
мир has two separate meanings.
The declension of полтора́ - "one and a half" .
лёд - "ice" - loses the -ё- when it adds endings, but gains -ь- in its place.
достига́ть / дости́чь - "to reach" - takes the genitive case.
за with the accusative can mean "beyond" or "behind" with movement.
The particle -ка is used with imperatives to add encouragement.
The verb плыть / поплы́ть - "to sail" or "to swim".
тот же са́мый - "the very same".
не́куда, не́где, не́когда and не́зачем in the past, with бы́ло.
The prefix под- in nouns and adjectives.
Revision - the genitive case

Урок 7
The accusative and prepositional with decades.
из Украи́ны - from the Ukraine.
The use of the prepositions на and с.
счита́ть with the instrumental and the accusative.
сосе́д - "neighbour" has hard endings in the singular and soft endings in the plural.
ла́герь - "a camp" - has its plural in -я́.
по́льзоваться / вос- "to use" - takes the instrumental case.
лечь в больни́цу - "to go in to hospital" and лежа́ть в больни́це - "to be in hospital".
The alternative instrumental singular of она is ею.
скоре́е - "sooner" is used in certain constructions to render "more".
у plus the genitive in preference to a possessive adjective.
Comparative forms of adjectives. Summary of irregularities.
дли́нный and до́лгий. Two words for "long", one for size and one for time.
The prefix еже- can be added to temporal adjectives to convey regularity.

Урок 8
о́блако has the irregular genitive plural облако́в.
страна́-то бога́тая. The particle -то is added for emphasis.
Абрамо́вич is a family name.
чу́до and не́бо have nominative plural forms чудеса́ and небеса́.
происходи́ть / произойти́ - "to happen, to take place".
при with the prepositional to convey "while someone is in power" etc.
за .... до ... plus the genitive to convey time before something happens.
запреща́ть / запрети́ть - "to forbid" - is followed by the dative case.
рост in the genitive to describe the size of people.
оди́н - "on one's own" - in the dative.
The sequence of tenses in reported speech.

The use of я́кобы.
Word order in simple sentences.
The use of шту́ка.
о́ба - "both".
мно́го наро́ду - the partitive genitive.
по мно́гу часо́в - "for many hours at a time".
воскре́снуть has the past perfective он воскре́с.

Урок 9
обо всём - "about everything".
ползти́ / поползти́ - "to crawl" - has irregular past tense endings.
из-за plus the genitive has two meanings "as a result of" or "from behind".
по́лдень and по́лночь both decline.
The masculine locative singular in -ю. На краю́.
Animal noises.
пёс - "a dog" - loses the ё when it declines.
Past gerunds in -йдя. Вы́йдя из до́ма.
The infinitive can be used for a command.
Short adjectives with buffer vowels -е- or -о-. Summary of short adjectives.
пожа́ть ру́ку - "to shake hands" - is followed by the dative.
донести́сь - "to carry" (of sounds) - has past endings я / ты / он донёсся etc.
Adjectives can be formed from surnames.
Го́споди! - "Good Lord!" - an old vocative case.

Урок 10
хоте́лось бы - "would like to" - is used indirectly with the dative.
повседне́вный - "everyday".
Superlatives in -ейший or -айший.
на де́ньги - "with the money".
по plus the accusative to convey "up to".
под plus the instrumental to convey "near" or "in the region of" a town.
заводи́ть / завести́ - to acquire (an animal) or to start (an engine).
приобрета́ть / приобрести́ - to acquire (something valuable).
разводи́ть / развести́ - to look after, rear (an animal).
счита́ться - "to be considered" - followed by the instrumental.
звезда́ - "a star" - changes -е- to -ё- in the plural.
иркутя́не - "people from Irkutsk". Words denoting people from particular towns.
увле́чься - "to become absorbed" has past endings я / ты / он увлёкся etc.
засыпа́ть / засну́ть - "to go to sleep" - is not reflexive.
впечатле́ние от - "an impression of".
сни́ться / присни́ться - "to have a dream".
из-под is used with the genitive to convey "out of" with movement upwards.
три́жды - "three times".
The vocative case, used only in familiar speech and set phrases.
пока́ не ... - "until ..." followed by a negative.

www — in the margin indicates that there is likely to be an update or some additional help on the Ruslan website. Please go to: www.ruslan.co.uk/ruslan3.htm

1/5 — in the margin indicates that the passage is recorded. The first number is the number of the CD, the second is the number of the track.

УРОК 1 — В поезде "Байкал"

1/2

Людмила и её сын Руслан сидят в купе поезда. Они едут из Москвы в Иркутск, чтобы там провести школьные каникулы Руслана. Вчера они останавливались в Новосибирске, где посмотрели достопримечательности и переночевали в гостинице. Новосибирск известен своим железнодорожным вокзалом, самым большим в России. Люда также сводила Руслана в новосибирский железнодорожный музей и в музей авиации и космонавтики.

Сегодня утром была остановка в Красноярске, где Люда купила бутерброды с сыром и сок.

Они едут в четырёхместном купе. От Новосибирска до Красноярска их попутчиками были два офицера, ехавшие домой из командировки. Теперь Люда и Руслан одни в купе. Скучно. Руслану кажется, что они едут сто лет. Только шум от стука колёс, и в окне бесконечные поля, леса, болота, иногда мелькают одинокие полустанки и деревянные сибирские домики.

1/3

- Мама, давай музыку послушаем!
- Нет, милый. Ты знаешь, что батарейки сели.
- А почему ты в Красноярске новые не купила?
- Не было времени, дружок. Тебе есть хотелось, помнишь? Ну как я могла купить и обед, и батарейки одновременно? Времени не было. И на вокзале всё ужасно дорого.
- Знаю, мама, только скучно.
- Ты можешь почитать книгу про путешествия Гулливера.
- Уже читал.
- Может быть, ты хочешь ещё раз прочесть письмо от дяди Коли?
- Нет. Лучше ты мне его почитай.

1/4

Людмила и Руслан едут к дяде Коле. Дядя Коля - это не Людин дядя, он старший брат Зои Петровны, дядя Вадима. Дядя Коля знает Людмилу с детства. Он бывший директор средней школы в Иркутске, недавно ушедший на пенсию. Вскоре после того, как он ушёл на пенсию, его жена, Светлана Иосифовна, трагически погибла. После этого Людмила решила навестить дядю Колю, как только появится возможность. У дяди Коли квартира большая, трёхкомнатная. Люда и Руслан проведут там всё лето.

проводи́ть / провести́	to spend (time)	есть хо́чется	to be hungry (see grammar)
кани́кулы	holidays	одновре́ме́нно	at the same time
ночева́ть / пере-	to spend the night	ужа́сно	terribly
своди́ть / свести́	to take someone somewhere	прочита́ть / проче́сть	to read (through)
четырёхместный	four-berth	про	about (see grammar)
попу́тчик	fellow traveller	путеше́ствие	journey
шум	noise	ста́рший	elder
стук	banging	де́тство	childhood
колесо́	wheel	бы́вший	former
бесконе́чный	never-ending	сре́дний	average
по́ле	field	сре́дняя шко́ла	secondary school
боло́то	swamp	вско́ре	soon
мелька́ть / мелькну́ть	to flash past	траги́чески	tragically
одино́кий	lonely	погиба́ть / поги́бнуть	to die (not as result of illness or old age)
полуста́нок	small station	навеща́ть / навести́ть	to visit (a person)
деревя́нный	wooden	появля́ться / появи́ться	to appear
батаре́йка	battery	возмо́жность (f.)	possibility
сесть	to run out (batteries)		
дружо́к	little friend		

Люда читает дядино письмо своему сыну:

1/5

Здравствуйте, дорогие Люда и Руслан!

Вот уже почти год, как я на пенсии здесь, в Иркутске. Платили мне 2000 рублей, плюс бесплатный проезд на автобусе. В январе все льготы забрали, но немножко добавили к пенсии – в компенсацию, но очень немного. Поэтому живу я очень скромно. Езжу только по необходимости – на рынок, да в магазин. Была бы дача, я бы вообще уехал из города, но некуда уехать!

Каждую субботу хожу на могилу Светланы Иосифовны. Скоро будет ровно год с тех пор, как она нас покинула.

Очень хочу увидеть тебя и Руслана здесь, в Иркутске. Смогли бы вы приехать этим летом? Здесь летом великолепно, только бывает очень жарко. Можно будет поехать на экскурсию на Байкал, покупаться в речке, половить рыбу. Правда, летом у нас много комаров, но от них можно найти защиту.

Приезжайте, пожалуйста! Навестите старика!

До встречи. Дядя Коля.

беспла́тный	free (no charge)
прое́зд	travel
льго́та	concession
забира́ть / забра́ть	to take away
добавля́ть / доба́вить	to add on to
скро́мно	modestly
необходи́мость (f.)	necessity
вообще́	altogether / in general
не́куда	nowhere (to go)
моги́ла	a grave
ро́вно	exactly
с тех пор, как	since
покида́ть / поки́нуть	to leave
великоле́пно	it is wonderful
кома́р	mosquito
защи́та	protection
стари́к	an old man

1/6

- Мама, расскажи про тётю Свету. От чего она умерла?
- Её сбила машина. Она переходила улицу, и её просто сбили. Скорая помощь приехала быстро, и её увезли в больницу, но там она умерла через три дня.
- Улицу надо переходить по пешеходному переходу.
- Она и переходила по переходу, но шофёр её не видел.
- Его посадили за это?
- Нет. Он не остановился, и милиция его не нашла.
- Бедная тётя Света.
- Да, и бедный дядя Коля.
- А он нас встретит на вокзале в Иркутске?
- Да, встретит.
- Можно ему сейчас позвонить с твоего мобильного.
- Нет, в нём батарейка тоже села. Жди до завтра.
- В американских поездах батарейки можно заряжать.
- Да, а здесь нет - это Россия! Руська, закрой окно, уже холодно.

расска́зывать / рассказа́ть	to tell	пешехо́дный	pedestrian (adj.)
сбива́ть / сбить	to knock over	сажа́ть / посади́ть	to put in prison
ско́рая по́мощь	ambulance service	бе́дный	poor
увози́ть / увезти́	to carry away	моби́льный	mobile / mobile phone
че́рез	after (a period of time)	заряжа́ть / заряди́ть	to recharge

Информация

Поезд “Байкал”

Read the passage. Decide where you think the stress marks should be. Then check your version against the recording.

Скорый поезд № 10 «Байкал» идёт от Москвы до Иркутска 72-76 часов (3,5 дня). Это фирменный поезд. Он останавливается во Владимире, в Нижнем Новгороде, в Кирове, в Перми, в Екатеринбурге, в Тюмени, в Омске, в Новосибирске, в Красноярске и ещё во многих городах и посёлках. Фирменный поезд идёт быстрее обычного поезда, отправляется и приходит в удобное время, редко опаздывает и имеет лучший сервис. Он приходит всегда на первую платформу, и встречают его с музыкой. Несколько лет подряд поезд «Байкал» держит марку лучшего фирменного поезда России.

Поезд “Байкал” на вокзале в Иркутске

ско́рый	fast
фи́рменный	belonging to a particular firm or organisation (here a town)
посёлок	settlement
обы́чный	ordinary
име́ть	to possess
подря́д	in a row
держа́ть	to hold
ма́рка	an award, a stamp

В поезде. Читайте!

This is a list of services provided by the проводник in the Томич train from Moscow to Tomsk. Use your dictionary to work out what to expect.

1/8

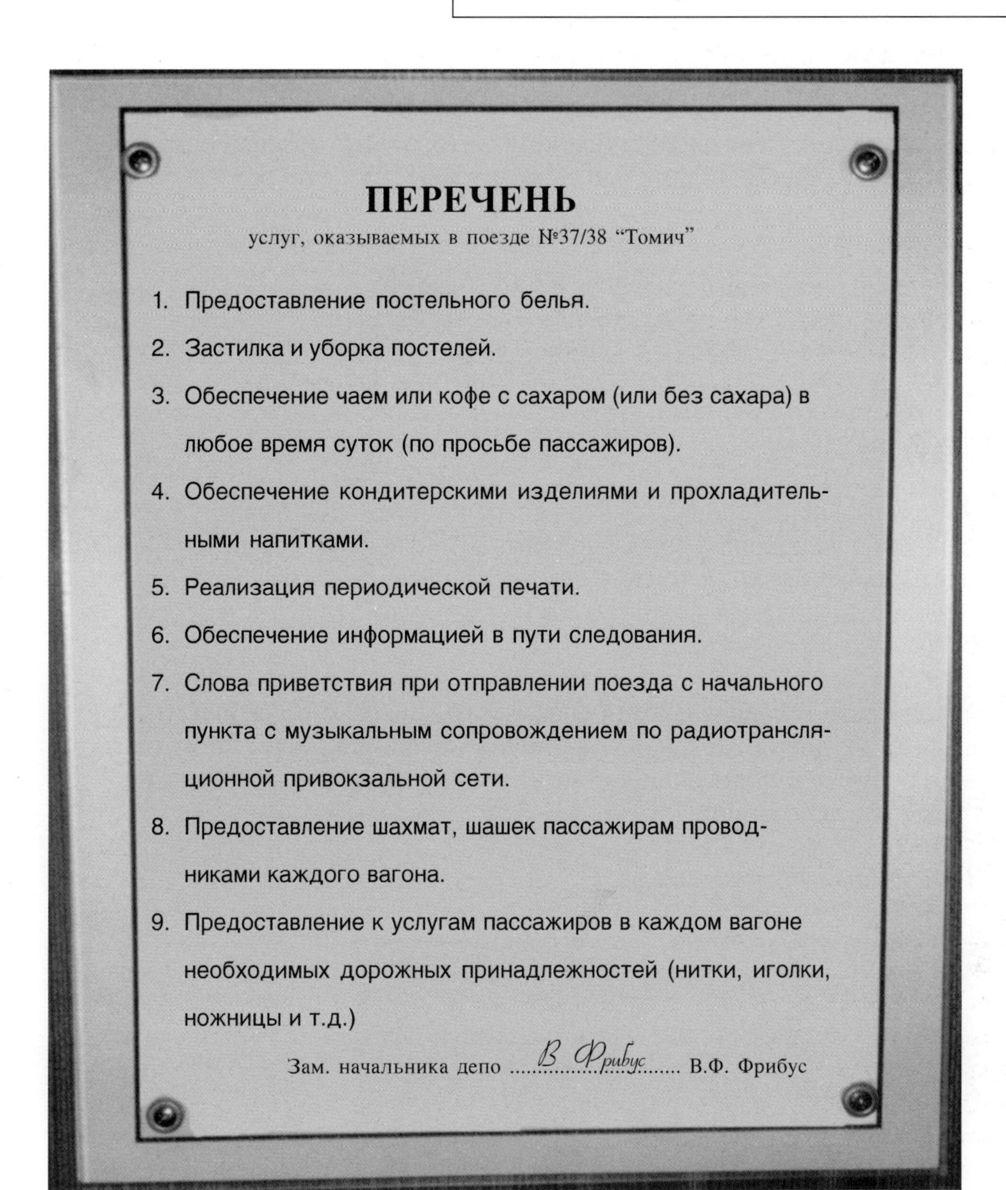

ПЕРЕЧЕНЬ

услуг, оказываемых в поезде №37/38 "Томич"

1. Предоставление постельного белья.
2. Застилка и уборка постелей.
3. Обеспечение чаем или кофе с сахаром (или без сахара) в любое время суток (по просьбе пассажиров).
4. Обеспечение кондитерскими изделиями и прохладительными напитками.
5. Реализация периодической печати.
6. Обеспечение информацией в пути следования.
7. Слова приветствия при отправлении поезда с начального пункта с музыкальным сопровождением по радиотрансляционной привокзальной сети.
8. Предоставление шахмат, шашек пассажирам проводниками каждого вагона.
9. Предоставление к услугам пассажиров в каждом вагоне необходимых дорожных принадлежностей (нитки, иголки, ножницы и т.д.)

Зам. начальника депо ......В. Фрибус...... В.Ф. Фрибус

Темы для дискуссии

1. Чем отлича́ется фи́рменный по́езд от обы́чного по́езда?
2. Опиши́те пое́здку на по́езде из Москвы́ в Ирку́тск.
   - Что э́то за по́езд?
   - Опиши́те купе́.
   - Что де́лает проводни́к?
   - Ско́лько вре́мени идёт по́езд? Че́рез каки́е города́?
   - Что мо́жно де́лать в пути́?
   - Что ви́дно в окно́ по́езда во вре́мя пое́здки?
   - Что мо́жно есть и пить в пути́?
   - Каки́е мо́гут быть попу́тчики?
3. Как отлича́ются поезда́ в Росси́и от поездо́в в Ва́шей стране́?

 1/9

Школьные каникулы в России

Пишет учитель гимназии в Омске, Валентина Жукова.

В течение учебного года каникулы у российских школьников бывают три раза: осенние, зимние и весенние. Летние каникулы, после окончания учебного года, самые длинные - три месяца.

Не все школьники могут поехать куда-нибудь отдыхать. Обычно они остаются дома и проводят время у телевизора или компьютера. Часто школа организует групповые поездки в другие города или даже страны.

Осенние каникулы начинаются в начале ноября и длятся неделю. Раньше в это время праздновали годовщину Октябрьской революции.

Зимние каникулы начинаются перед Новым годом. Они длятся 10-12 дней и заканчиваются в январе. Это самые весёлые каникулы. Обычно в это время во всех домах стоят новогодние ёлки. Дети получают много подарков и сладостей к Новогоднему празднику.

Весенние каникулы, как и осенние, длятся всего неделю. Они бывают в конце марта. Школьники, как правило, тоже проводят эти каникулы дома. Если их родители состоятельные люди, то они могут проводить школьные каникулы вместе с детьми в загородной зоне отдыха или уезжать отдыхать в другую страну, с более тёплым климатом.

Когда наступает лето и заканчивается учебный год, многие родители стремятся, чтобы их дети отдохнули где-нибудь на природе. Они могут отвезти своих детей к бабушке в деревню. Они могут отправить детей в школьный лагерь, на море или за границу.

Все школьники очень любят каникулы!

Выпускной вечер в гимназии в Омске

Guess the meanings:
тече́ние
уче́бный
оконча́ние
дли́нный
дли́ться
пра́здновать
годовщи́на
зака́нчиваться
пе́ред
весёлый
нового́дний
ёлка
сла́дость
пра́вило
состоя́тельный
за́городный
стреми́ться
приро́да
дере́вня
ла́герь (m.)
заграни́ца
выпускно́й

Темы для дискуссии

1. Каки́е шко́льные кани́кулы есть в Росси́и?
2. Чем отлича́ются шко́льные кани́кулы в Росси́и от шко́льных кани́кул в Ва́шей стране́?
3. Каки́е шко́льные кани́кулы Вы бо́льше люби́ли / лю́бите и почему́?

Пенсионеры в России

Пишет Михаил Кукушкин. Данные на 2005 год. www

Пенсионный возраст в России у женщин 55 лет, а у мужчин - 60 лет. При этом средняя продолжительность жизни мужчин 58 лет. Размер средней пенсии в России 2027 рублей в месяц. Это около 27% средней зарплаты в стране и чуть больше прожиточного минимума, который составляет 2008 рублей. В.В. Путин поставил задачу удвоить пенсию к 2008 году. 1/10

В Москве, третьем в мире городе по стоимости жизни, пенсионеры получают ежемесячные надбавки в размере от 486 до 1120 рублей. Даже получив эту надбавку, пенсионер не может позволить себе купить качественную одежду, поесть в ресторане или съездить за границу.

Раньше пенсионеры имели льготы, такие, как, например, бесплатный проезд в общественном транспорте, и бесплатно получали некоторые виды лекарств. Однако в 2005 году эти льготы начали забирать, и в компенсацию добавили немного к пенсии. В результате этих изменений - монетизации льгот, недовольные пенсионеры выходили на демонстрации протеста по всей стране. Кремль оставил решение этого вопроса на усмотрение местных властей.

Пожилые люди в Российской Федерации привыкли к скромной жизни в советское время. В старости, как правило, они живут ещё скромнее.

Пенсионеры идут на парад в День Победы

Find the Russian words for:

age	concessions
average	free of charge
life expectancy	public transport
size	a medicine
pension	to take away
salary, pay	in compensation
just a bit	to add
poverty level	a change
the task	unhappy
to double	the discretion of
cost of living	elderly
monthly	to get used to
a supplement	a modest life
quality (adj.)	old age

Вставьте слова!

Монетизация льгот - это _________ , в котором государство ___________ у ____________ разные ___________ , а в _____________ добавило немного денег к __________.

компенса́ция - пе́нсия
проце́сс - забра́ть
льго́ты - пенсионе́ры

Слушайте!

Прослу́шайте разгово́р с Лари́сой. Что Вы мо́жете узна́ть из разгово́ра с ней, о чём не напи́сано в те́ксте на э́той страни́це? 1/11

Пишите!

Соста́вьте текст из 150 слов о како́м-нибу́дь росси́йском или друго́м пенсионе́ре, кото́рого Вы зна́ете.

Past active participles
These are used in written texts, but are rare in speech. Take the -л ending off the masculine form of the perfective or imperfective past tense and add -вший.
The participle behaves like an adjective and is always preceded by a comma:
два офице́ра, е́хавшие домо́й - two officers travelling home
ма́льчик, сиде́вший в купе́ - the boy sitting in the compartment

If the past tense ends with a consonant other than -л, for example with -б, then this consonant is retained in the formation of the past active participle:
же́нщина, поги́бшая под по́ездом - the woman who died under a train

In speech, past active participles are usually replaced with a phrase using который:
два офице́ра, кото́рые е́хали домо́й - two officers who were travelling home

Verbs with infinitives in -йти have past active participle endings in -едший:
неда́вно ушё́дший на пе́нсию - who had recently retired

In this lesson past active participles are used in the nominative only. You will see how they can decline in lesson 5.

у них четырёхместное купе - they have a four berth compartment
When numbers are used in compound nouns and adjectives, they usually appear in the genitive case:

трёхко́мнатная кварти́ра	-	a three-roomed flat
пятиле́тка	-	a five year plan
девятиэта́жный дом	-	a nine-storey house

Exceptions are 1, 90, 100 and 1000:

одноэта́жный дом	-	a single-storey house
девяно́стые го́ды	-	the nineties

Руслану кажется, что они едут сто лет.
It seems to Ruslan that they have been travelling for a hundred years.
In Russian, as in many other European languages, though not in English, the present tense is used to describe an action that began in the past, but is still continuing. More examples:

Я получа́ю пе́нсию почти́ год.	I have been receiving a pension for nearly a year.
Он живёт там неде́лю.	He has been living there for a week.
Я его́ зна́ю давно́.	I have known him for a long time.

бесконечные поля, леса, болота - the never-ending fields, forests, swamps
лес has the nominative plural леса́.

Ты знаешь, что батарейки сели. You know that the batteries have run out.
сесть is used colloquially to mean “to run out” for batteries.

Тебе есть хотелось. You were hungry.
The indirect expressions есть хо́чется, пить хо́чется and спать хо́чется are used with the dative case to convey “to be hungry”, “to be thirsty” and “to be sleepy”.
Ми́ше хо́чется спать. Misha is sleepy.

In the past tense the verb is neuter:
Мне ужа́сно хоте́лось пить. I was terribly thirsty.

Ты можешь почитать книгу. You can read your book for a bit.
With many verbs that describe activities the prefix по- can be used to form a perfective infinitive with the meaning "to do a bit of", "to do for a short time":

потанцева́ть	- to have a dance	полови́ть ры́бу	- to do a bit of fishing
попи́ть	- to drink a bit	покупа́ться	- to do a bit of swimming
побы́ть	- to be for a while		

про путешествия Гулливера - about Gulliver's travels
There are two words for "about" in Russian:
о plus the prepositional is used for "about someone or something".
про plus the accusative is used for "about an event, something that happened".

погибать / погибнуть - to die
This has the past perfective endings: он поги́б, она поги́бла, они поги́бли
погиба́ть / поги́бнуть is used to describe a sudden death, not from natural causes:

Он поги́б в гора́х.	He died in the mountains.
На войне́ погиба́ют и ми́рные жи́тели.	In the war peaceful citizens die too.

Она погибла трагически. She died tragically.
Adjectives with endings in -и́ческий form adverbs in -и́чески.
Other examples: практи́чески, физи́чески

некуда уехать - nowhere to go away to
не́куда, не́где, не́когда and не́зачем are used with the infinitive and form an indirect construction with the dative case.

Ему́ не́когда прие́хать.	He has no time to come.
Ей не́зачем идти́.	She has no reason to go.
Жить лю́дям не́где.	People have nowhere to live.

Людин дядя - Lyuda's uncle дядино письмо - uncle's letter
Possessive adjectives can be derived from the words for family members and from names, usually diminutives. If formed from names they have a capital letter. Most have nominative singular endings in -ин. Some have the ending -ов. They have a declension with a mix of noun and adjective endings:

	Masculine	Neuter	Feminine	Plural
N	ма́мин	ма́мино	ма́мина	ма́мины
A	ма́мин / ма́миного	ма́мино	ма́мину	ма́мины / ма́миных
G	ма́миного	ма́миного	ма́миной	ма́миных
D	ма́миному	ма́миному	ма́миной	ма́миным
I	ма́миным	ма́миным	ма́миной	ма́миными
P	ма́мином	ма́мином	ма́миной	ма́миных

Я потеря́л Та́нину су́мку. I lost Tanya's bag.
Он познако́мился с ма́миными подру́гами.
He got to know his mother's girl friends.
крокоди́ловы слёзы - crocodile tears

бесплатный проезд на автобусе - free travel on the bus
The word "free" in English has meanings that are rendered by different words in Russian:

свобо́дный сто́лик	- a free table
беспла́тный биле́т	- a free ticket

Imperatives - use of aspects

Use the perfective aspect for one-off requests:

Закро́й окно́, уже́ хо́лодно!	Shut the window, it's already cold!
Почита́й мне письмо́!	Read me the letter!
Покажи́те э́ту фотогра́фию!	Show me that photo!

Use the imperfective aspect for general requests, exhortations or invitations:

Сади́тесь, пожа́луйста!	Please sit down!
Береги́сь автомоби́ля!	Watch out for a car!

Use the imperfective aspect to tell someone not to do something:

Не закрыва́й окно!	Don't close the window!

директор средней школы - head of a secondary school

In the declension of soft adjectives, и, е or ю replace ы, о or у.
Soft adjectives include:

сре́дний (average, secondary) , после́дний (last)
ни́жний (lower), ве́рхний (higher, upper) and other adjectives describing position
сего́дняшний, вчера́шний, ра́нний, по́здний and other adjectives describing time.

ле́тний, зи́мний, осе́нний, весе́нний (adjectives for the seasons)
ка́рий (brown of eyes) and си́ний (dark blue)

Find 5 soft adjectives in the text about school holidays on page 14.

Навестите старика! - Visit an old man!

In Russian there are two different verbs "to visit":

навеща́ть / навести́ть - to visit a person
посеща́ть / посети́ть - to visit a place

Она и переходила по переходу - In fact she was crossing at a crossing

и can be used in this way for emphasis, translated by "but", "in fact" or "actually".

Его посадили за это? Was he imprisoned for that?

посади́ть can mean "to put in prison".
сиде́ть can mean "to be in prison".

за plus the accusative can mean "for" in the sense:

Мы все за демокра́тию!	We are all for democracy!
Мой бы́вший друг голосова́л за Жирино́вского.	My former friend voted for Zhirinovsky.

поездка за границу - a trip abroad

This phrase for "abroad" is used as two separate words as follows:

Они́ е́дут за грани́цу.	They are going abroad.
Она́ живёт за грани́цей.	She lives abroad.

However when used as the subject of the sentence or to suggest "foreign countries" in general, it becomes a single word

Заграни́ца его не интересу́ет.	Foreign countries do not interest him.
Фи́рма торгу́ет с заграни́цей.	The firm is trading overseas.

реализация печати - the selling of printed matter (newspapers)

Some international words are derived from French or other sources and have a meaning that differs from what an English speaker would expect.

реализа́ция has the French meaning "sale of".
ка́мера is a prison cell, or a tyre inner tube!

УРОК 1 Упражнения

1. Вопросы к тексту

а. Что мо́жно посмотре́ть в Новосиби́рске?
б. Людми́ла и Русла́н е́хали из Москвы́ в Ирку́тск без остано́вок?
в. Что бы́ло ви́дно из окна́ по́езда?
г. Почему́ они́ не слу́шали му́зыку?
д. Почему́ Лю́да не купи́ла но́вые батаре́йки в Красноя́рске?
е. Лю́да и дя́дя Ко́ля давно́ знако́мы?
ж. Кем рабо́тал дя́дя Ко́ля?
з. Почему́ дя́дя Ко́ля не уе́хал на да́чу?
и. Когда́ умерла́ тётя Све́та? Как она́ умерла́?
к. Чем мо́жно занима́ться в Ирку́тске ле́том?
л. Почему́ нельзя́ позвони́ть дя́де Ко́ле?

2. Rewrite the phrases using the verb plus "который"

а. Тури́сты, прие́хавшие из Минера́льных Вод.
б. Ма́льчик, сиде́вший ря́дом со мной.
в. Кинокри́тик, написа́вший кни́гу об Эйзенште́йне.
г. Колле́га, опозда́вший на рабо́ту.
д. Де́ти, купи́вшие биле́ты на конце́рт.

3. Rewrite the phrases using a past participle

а. Солда́т, кото́рый прие́хал из Уфы́.
б. Лю́ди, кото́рые получи́ли де́ньги от губерна́тора.
в. Же́нщина, кото́рая потеря́ла сы́на.
г. Такси́, кото́рое стоя́ло о́коло до́ма.
д. Мужчи́на, кото́рый у́мер в суббо́ту.
е. Де́вушка, кото́рая пришла́ без приглаше́ния.

4. Make up phrases as in the example

де́вушки / Москва́: Де́вушки, прие́хавшие из Москвы́

а. солда́ты / Ни́жний Но́вгород
б. пенсионе́р / Пермь
в. же́нщина / Минера́льные Во́ды
г. колле́ги / Яку́тия
д. инжене́р / Сама́ра

5. Put the following nouns into the plural. Include the stress marks

солда́т, генера́л, профе́ссор, па́спорт, бе́рег, наро́д, лес, окно́, боло́то, по́езд, план, дом, рука́, глаз, врач, до́ктор, дире́ктор, но́мер, го́род, брат, сестра́, стул, стол, челове́к, мать, дочь, ма́льчик, колле́га, оте́ц, сын, у́тро, ве́чер.

6. Complete the lines from the song, using the words for "garden", "morning" and "evenings"

www

"Не слышны́ в _________ да́же шо́рохи.
Всё здесь замерло́ до ___________.
Если́ б зна́ли вы, как мне до́роги
Подмоско́вные _____________!"

слышны́ (pl.)	- audible
шо́рох	- a rustle
замере́ть	- to go quiet
подмоско́вный	- in the Moscow region

7. Rewrite the phrases using possessive adjectives
Example: де́ньги ма́мы - ма́мины де́ньги

а. маши́на па́пы
б. кварти́ра Ната́ши
в. велосипе́д ма́мы
г. су́мка Та́ни
д. компью́тер Серёжи
е. кни́ги Оли
ж. бюро́ Ка́ти
з. подру́ги тёти

8. Rewrite the sentences using possessive adjectives
Example: Он живёт в кварти́ре ма́мы.
Он живёт в ма́миной кварти́ре.

а. Он прие́хал на маши́не па́пы.
б. Я люблю́ кварти́ру Ната́ши.
в. Там нет велосипе́да ма́мы.
г. Биле́т был в су́мке Та́ни.
д. Компью́тер Серёжи не рабо́тает.
е. Он чита́л кни́гу Оли.
ж. Они́ рабо́тали в бюро́ Ка́ти.
з. Я говори́л о подру́гах тёти.
и. Он познако́мился с колле́гами Ми́ши.

9. Fill in the gaps
а. Бо́ря учи́лся в сре́дн___ шко́ле в Ни́жн__ Но́вгороде.
б. Это была́ после́дн___ мину́та после́дн___ ча́са.
в. На ве́рхн__ по́лке лежа́ла де́вушка с ка́р___ глаза́ми.
г. Она́ купи́ла си́н___ блу́зку и кра́сн___ ю́бку.
д. Молод__ солда́ты бы́ли в зи́мн__ оде́жде.
е. Они сиде́ли вокру́г нового́дн__ ёлки.
ж. Все де́ти лю́бят ле́тн__ кани́кулы.

10. Fill in the gaps using either навеща́ть / навести́ть or посеща́ть / посети́ть
а. Я _______________ его́ шко́лу ка́ждую суббо́ту.
б. Юра _______________ музе́й го́рода то́лько оди́н раз.
в. Я хочу́ _______________ своего́ отца́ в Уфе́.
г. Михаи́л _______________ мою́ ба́бушку три ра́за в неде́лю.

11. Choose words to fill the gaps, changing the endings if needed

а. _______________ _______________ до́мик стоя́л в _______________.
б. “Послу́шай! Что это за _______________?”
в. Москва́ сла́вится свои́м _______________.
г. На про́шлой неде́ле они́ _______________ три ве́чера вме́сте.
д. Ла́мпа не рабо́тает. Батаре́йки _______________.

кремль - шум - лес - одино́кий - деревя́нный - провести́ - сесть

12. Choose words to fill the gaps, changing the endings if needed

а. Им о́чень хоте́лось _______________. Три дня ничего́ не е́ли.
б. Мой _______________ брат уе́хал в Кана́ду.
в. Мой дя́дя живёт в Литве́ и получа́ет там брита́нскую _____________.
г. Он _______________ за Евросою́з.
д. Он е́здит _______________ на городско́м тра́нспорте.
е. Ей _______________ е́хать на да́чу.

не́зачем - пе́нсия - есть - ста́рший - беспла́тно - голосова́ть

13. Fill the gaps with verbs in the past tense

а. Нача́льника мили́ции _______________ за корру́пцию.
б. Глеб _____________ моби́льный телефо́н в суббо́ту и _____________ его че́рез три дня.
в. Она́ __________ на вокза́л в час но́чи. Роди́тели _____________ её.
г. Мы _______________ колле́гу в больни́це.
д. Стари́к _______________ нам про своё де́тство.

потеря́ть - встре́тить - найти́ - посади́ть
рассказа́ть - прие́хать - навести́ть

Языковая практика

1. Устная работа в группе

Зада́йте вопро́сы и расскажи́те друг дру́гу о том:
- где Вы живёте / рабо́таете / учи́тесь ;
- как до́лго Вы там живёте / рабо́таете / учи́тесь ;
- где Вы жи́ли / рабо́тали / учи́лись ра́ньше ;
- как до́лго Вы там жи́ли / рабо́тали / учи́лись?

Зада́йте аналоги́чные вопро́сы и расскажи́те друг дру́гу о свои́х ро́дственниках / друзья́х :
- где они́ живу́т / рабо́тают / у́чатся / получа́ют пе́нсию ;
- как до́лго они́ там живу́т / рабо́тают / у́чатся / получа́ют пе́нсию ;
- где они́ жи́ли / рабо́тали / учи́лись / получа́ли пе́нсию ра́ньше ;
- как до́лго они́ там жи́ли / рабо́тали / учи́лись / получа́ли пе́нсию?

2. Устная работа в группе

Зада́йте вопро́сы и расскажи́те друг дру́гу о том, ка́кие у Вас есть знако́мые в Росси́и и каки́е у них кварти́ры :
- на како́м этаже́
- кака́я это кварти́ра: двухко́мнатная, трёхко́мнатная и т.д.

3. Устная работа в парах

Зада́йте вопро́сы и расскажи́те друг дру́гу о слу́чае, когда́ Вам о́чень си́льно хоте́лось есть / пить / спать.

- Где э́то бы́ло?
- Почему́ Вам так хоте́лось есть / пить / спать?
- Что случи́лось пото́м?

4. Устная работа в парах

Зада́йте вопро́сы и расскажи́те друг дру́гу о том, чем Вы люби́ли занима́ться в де́тстве во вре́мя осе́нних, зи́мних, весе́нних и ле́тних шко́льных кани́кул. А чем де́ти сего́дня занима́ются во вре́мя кани́кул?

5. Устная работа в парах

Зада́йте вопро́сы и расскажи́те друг дру́гу о пое́здке в Росси́ю или в каку́ю-нибу́дь другу́ю страну́.

- Каки́е места́ Вы посети́ли?
- Каки́х друзе́й и́ли знако́мых Вы навести́ли?

6. Задача в группе из шести человек. Игра в кругу

Пе́рвый студе́нт (наприме́р, Анна) говори́т:

- Меня́ зову́т Анна. Я журнали́стка. Я живу́ в тридцатиэта́жном до́ме на деся́том этаже́. У меня трёхко́мнатная кварти́ра.

Второ́й студе́нт (наприме́р, Бори́с) говори́т:

- Это Анна. Она журнали́стка. Она живёт в тридцатиэта́жном до́ме на деся́том этаже́. У неё трёхко́мнатная кварти́ра. А меня́ зову́т Бори́с. Я - милиционе́р. Я живу́ в пятиэта́жном до́ме на второ́м этаже́. У меня́ одноко́мнатная кварти́ра.

И так да́лее, поочерёдно, по кру́гу. Помога́йте друг дру́гу, е́сли кто́-то затрудня́ется продо́лжить.

7. Устная работа в парах

Зада́йте вопро́сы и расскажи́те друг дру́гу о том, как мо́жно провести́ вре́мя в тече́ние коро́ткого посеще́ния Ва́шего го́рода или райо́на.

Полезные слова :

половѝть ры́бу
покупа́ться в ре́чке
пoу́жинать в ресторáне
сдéлать поку́пки в магази́нах
покатáться на конькáх, на сáнках, на лы́жах
посмотрéть достопримечáтельности гóрода (какие?)
сходи́ть в теа́тр, в кино́
сходи́ть в карти́нную галере́ю
сходи́ть в зоопа́рк, в цирк
послу́шать конце́рт
посети́ть ....что?
навести́ть .... кого?

8. Пишите!

Напишите приглашение в виде письма Вашему русскому другу или знакомому для посещения Вашего города или района. Включите информацию о том, когда и как лучше приехать, где он или она будет жить и что можно будет сделать во время посещения.

Начните так:

Дорогой / Дорогая...
Я хотел бы пригласить Вас в гости к нам в ...... (название города)
этим летом. Лето у нас ...... Можно будет ......

9. Выучите и расскажите анекдоты

а. Тридцать семь градусов мороза. На улице снег, сильный ветер. Мужик заходит к соседу. В избе тепло. Сосед обедает. От борща́ идёт отличный запах. Сосед спрашивает:
- Вчерашний борщ будешь?
- Буду, с удовольствием!
- Тогда приходи завтра!

мужи́к	a man
ве́тер	wind
сосе́д	neighbour
изба́	hut
за́пах	smell

1/13

б. Радостный пенсионер получил пенсионную книжку, а открыв её, спрашивает:
- Почему действительна только на пять лет?
Его успокаивают:
- Не волнуйтесь, мужчина, за второй книжкой ещё никто не приходил!

ра́достный	joyful
откры́в	having opened
действи́тельный	valid
успока́ивать	to calm down
волнова́ться	to worry

10. Составьте диалог!
Пе́ред тем, как пое́хать к дя́де Ко́ле, Лю́да позвони́ла ему́ в отве́т на его́ письмо́ (стр. 9). Восстанови́те их разгово́р по сле́дующему пла́ну:

Люда:	**Дядя Коля:**
Лю́да говори́т, что она́ ра́да разгово́ру с дя́дей, спра́шивает, как у него́ дела́, и говори́т, наско́лько тяжело́ ей бы́ло, когда́ она узна́ла про тётю Све́ту. Ей о́чень жаль, что она́ не смогла́ прие́хать на по́хороны.	Дя́дя Ко́ля отвеча́ет соотве́тствующим о́бразом.
Лю́да спра́шивает, нашли́ ли води́теля, кото́рый сбил тётю Све́ту.	Дя́дя Ко́ля отвеча́ет, что не нашли́ и что у мили́ции есть бо́лее ва́жные дела́.
Лю́да благодари́т его́ за письмо́ и за приглаше́ние в Ирку́тск; спра́шивает, доста́точно ли у него́ для них ме́ста в кварти́ре.	Дя́дя отвеча́ет положи́тельно.
Лю́да говори́т, когда́ выезжа́ет из Москвы́ (5-го ию́ня) и когда́ приезжа́ет в Ирку́тск (10-го ию́ня); называ́ет но́мер по́езда – 10.	Дя́дя Ко́ля отвеча́ет, что доро́га занима́ет всего́ три с полови́ной дня.
Лю́да объясня́ет, что они́ собира́ются провести́ оди́н день в Новосиби́рске, что́бы отдохну́ть и посмотре́ть го́род.	Дя́дя Ко́ля спра́шивает, как Русла́н плани́рует провести́ вре́мя у него́ в Ирку́тске, чем он интересу́ется и что ему́ лу́чше предложи́ть.
Лю́да предлага́ет не́сколько вариа́нтов, в том числе́, пое́здку на Байка́л. Она́ приглаша́ет дя́дю Ко́лю пое́хать вме́сте с ни́ми на экску́рсию.	Дя́дя Ко́ля отка́зывается от предложе́ния Людми́лы.

Приду́майте са́ми причи́ну отка́за дя́ди Ко́ли. Приду́майте са́ми подходя́щую концо́вку для э́того разгово́ра.

соотве́тствующий -	appropriate
положи́тельно -	positively

УРОК 1	Повторение темы "виды глагола"

Verb aspects in Russian
Most Russian verbs have two infinitives, an imperfective infinitive and a perfective infinitive. The imperfective is used to form the present tense and for some past and future tenses. The perfective is used for past and future tenses only. In most dictionaries imperfective infinitives are given first. Dictionary entries may look like this:

protect защища́ть / защити́ть

When to use imperfective forms
1. The present tense.
2. The future imperfective tense with я бу́ду etc. and the imperfective infinitive.
3. The past imperfective tense. This can translate the English past imperfect (I was coming) or the French imparfait (je disais). However the Russian imperfective past tense is also used to describe a single action in the past, something that took place, as long as you are not emphasising that it was completed.

Examples:
Я говорю́ по-ру́сски.
Он бу́дет жить в Ту́ле.
He will be living in Tula.
Они́ сиде́ли со мной.
They were sitting with me.
Вы е́ли суп?
Have you had any soup?
(The soup isn't necessarily all eaten!)

When to use perfective forms
1. The future perfective tense, formed by conjugating the perfective verb.
2. The past perfective tense, used to describe one-off, completed actions or a series of such actions in the past.

Examples:
Она́ прие́дет.
She will come.
Ма́ша прие́хала!
Masha has arrived!
Мы вошли́ и се́ли.
We went in and sat down.
Ты съел суп?
Did you eat the soup?
(Did you finish it?)

A few verbs use the same verb for both imperfective and perfective, e.g. атакова́ть (to attack), пользова́ться (to use).

Some imperfective and perfective forms of the same verb have different English renderings:

сдава́ть экза́мен	- to take an exam	сдать экза́мен	- to pass an exam
опа́здывать	- to be late	опозда́ть	- to be too late for, to miss
цвести́	- to flower	отцвести́	- to finish flowering
боле́ть	- to be ill	заболе́ть	- to fall ill

By virtue of their meaning, some Russian verbs have no perfective form:

зави́сеть от	- to depend on	называ́ться	- to be called
принадлежа́ть	- to belong	существова́ть	- to exist
состоя́ть из	- to consist of	путеше́ствовать	- to travel around

Infinitive pairs. How to tell which is which
If only one of the two infinitives has a prefix, this is the perfective form:

чита́ть / прочита́ть
звони́ть / позвони́ть Exception: покупа́ть / купи́ть

If both infinitives end in -ать or -ять then the shorter of the two is the perfective:

понима́ть / поня́ть
расска́зывать / рассказа́ть
узнава́ть / узна́ть

If the aspect pair has one infinitive in -ать or -ять and the other in -еть, -ить or -нуть , then the former is imperfective and the latter is perfective.

отдыха́ть / отдохну́ть　　умира́ть / умере́ть
повторя́ть / повтори́ть

Some verbs have quite different imperfective and perfective forms:

брать / взять
сади́ться / сесть
ложи́ться / лечь
говори́ть / сказа́ть - to say ("to speak" is говори́ть / поговори́ть)

Упражнения

1. Give the meaning and the imperfective form of the following perfective verbs:

сде́лать	взять	получи́ть
поня́ть	подожда́ть	съесть
порабо́тать	спроси́ть	сесть
позвони́ть	попроси́ть	поги́бнуть
встре́титься	прочита́ть	спасти́
посла́ть	изучи́ть	

2. Which tense is being used? Present or future?

	Настоя́щее вре́мя	Бу́дущее вре́мя
а. Я вам позвоню́.	☐	☐
б. Шофёр вас подождёт.	☐	☐
в. Кто запла́тит?	☐	☐
г. Бар рабо́тает.	☐	☐
д. Ли́за ку́пит кварти́ру в це́нтре.	☐	☐
е. Ро́зы цвету́т ле́том.	☐	☐
ж. Мы встре́тимся на мосту́.	☐	☐
з. Он не напи́шет вам письмо́.	☐	☐
и. Мы её уважа́ем.	☐	☐
к. Он зна́ет об э́том.	☐	☐
л. Он узна́ет об э́том.	☐	☐
м. Он узнаёт об э́том.	☐	☐

3. Use the verbs to fill the gaps, using present, future or past tenses

звони́ть / позвони́ть

а. Он ________________ за́втра.
б. "Приве́т! Я ________________ из таксофо́на. До́ма телефо́н не рабо́тает."
в. Мари́я потеря́ла телефо́н. Она три дня никому́ не ________________.
г. Бори́с ________________ мне в про́шлую суббо́ту в де́вять три́дцать.

брать / взять

д. Ра́ньше я ча́сто ____________ е́ду с собо́й.
е. Ты ____________ меня́ за́втра с собо́й?
ж. Тепе́рь я ____________ э́ту газе́ту ка́ждую суббо́ту.
з. Они ____________ креди́т в ба́нке на поку́пку до́ма.

опа́здывать / опозда́ть

и. Ра́ньше она́ ча́сто ______________ на свида́ния.
к. Ба́бушка ______________ на электри́чку и не прие́хала на да́чу.
л. Сего́дня в Англии, по́сле приватиза́ции, поезда́ ча́ще ______________.

УРОК 2	Приезд в Иркутск

1/14 **В поезде**

Ночью они крепко спали. Руслан даже не заметил, как, тихо закрыв за собой дверь, в купе вошёл мужчина лет тридцати пяти в сером костюме и лёг спать на верхнюю полку.

- Мама!
- Да.
- Что это за шум?
- Тссс! Мужчина спит.
- А почему он так громко храпит?
- Не спрашивай.
- А сколько ещё ехать?
- Часа четыре или пять. Ещё поспи.

кре́пко	firmly, soundly	по́лка	a bunk, a shelf
замеча́ть / заме́тить	to notice	Тссс!	Shhh!
ложи́ться / лечь	to lie down	храпе́ть	to snore
ве́рхний	upper		

 1/15

Как только первый луч утреннего солнца попал ему на лицо, мужчина проснулся. Спустившись с верхней полки, он в дипломате нашёл бритву и полотенце и, не поздоровавшись, вышел в коридор. Мужчина был солидный, здоровый, большого роста, хорошо одетый. Через десять минут, побрившись, он вернулся в купе и поздоровался с Людой и Русланом.

- Доброе утро. Я вас не разбудил?
- Нет, конечно, нам тоже надо вставать. Мы в Иркутске выходим.
- В отпуск едете? На школьные каникулы?
- Да, мы едем к дяде в Иркутск. Вы тоже выходите в Иркутске?
- Да. Это же конечная остановка.
- Ах, да, какая же я дура! А у вас в Иркутске работа?
- Да, я работаю заместителем председателя Городской Думы. У меня была встреча на Братской ГЭС. Сейчас еду домой в Иркутск.
- Что? Большой чиновник едет на верхней полке?
- Да, бывает. Бывшая секретарша ошиблась с бронью.
- Скажите, а в какой области вы работаете?
- Я занимаюсь экологией.
- Вот как?! Это очень интересно! Это правда, что через десять лет в Москве будет шесть миллионов машин?
- О Москве я мало что знаю. Могу ответить только об Иркутске.
- Мама, спроси о бассейне.
- Сам спроси.
- Скажите, пожалуйста, в Иркутске есть бассейн или можно купаться только в реке?
- Есть бассейны, но в реках и озёрах тоже хорошо купаться, даже лучше, чем в бассейне.
- А там много комаров?
- Руська, не надо!
- Комары есть, но нет малярийных. Также есть много клещей. Вот моя визитка. Пожалуйста, позвоните, если вам что-то будет нужно. А как вас зовут?
- Людмила Кисина. А это мой сын, Руслан.

луч	ray	дура́к / ду́ра	fool
у́тренний	morning (adj.)	замести́тель	deputy
просыпа́ться / просну́ться	to wake up	председа́тель	chair person
спуска́ться / спусти́ться	to get down	Ду́ма	Duma, Council
диплома́т	briefcase	Бра́тская ГЭС	The Bratsk Hydro-Electric Station
бри́тва	razor		
полоте́нце	towel	чино́вник	an official
здоро́ваться / по-	to say hello	ошиба́ться / -и́ться	to make a mistake
соли́дный	respectable	бронь (f.)	reservation
здоро́вый	healthy	о́бласть (f.)	area
бри́ться / по-	to shave	эколо́гия	ecology
буди́ть / раз-	to wake someone up	маляри́йный	malarial
встава́ть / встать	to get up	клещ	tick (insect)
коне́чный	the last		

Поезд уже подъезжает к вокзалу. Из динамиков слышится известная песня:  1/16

Дорогой длинною, да ночкой лунною ...

Уважаемые пассажиры! Наш поезд прибывает на конечную станцию - город Иркутск, на первую платформу. При выходе из поезда не забывайте свои вещи!

- Всё собрали? Руслан, ты бери сумку, а я чемодан возьму.
- Разрешите, я помогу вам с вещами. У меня только этот дипломат. Дайте мне ваш чемодан, пожалуйста. Я помогу донести до стоянки такси.
- Нет, спасибо, не надо. Нас встречают. Руслан, ты видишь дядю Колю?
- Нет.
- А вот он идёт, в белой рубашке, видишь? Дядя Коля! Сюда!

Но дядя Коля не видел их. Заметив, как из другого вагона выходит брюнетка с мальчиком школьного возраста, дядя Коля побежал туда. Затем, поняв свою ошибку, он развернулся и побежал обратно.  1/17

- Дядя Коля! Сюда!
- Здравствуйте! Вот вы где! А почему у вас так мало багажа? Ах нет, это тоже ваш чемодан. Спасибо, молодой человек. Я возьму чемоданчик. Спасибо, что помогли. До свидания.
- Дядя, это Тимофей Николаевич Карпов, заместитель председателя Городской Думы.
- Да!? Теперь "Дума" называется? А раньше был горсовет. Людей было меньше, делали больше! Спасибо за помощь.
- Дядя Коля, мы поедем на такси?
- Нет, на такси у меня денег не хватит. Поедем на автобусе. Автобус идёт почти до дома.

дина́мики	loudspeakers	доноси́ть / донести́	to carry as far as
лу́нный	moonlit	во́зраст	age
прибыва́ть / прибы́ть	to arrive	развора́чиваться / разверну́ться	to turn round
собира́ть / собра́ть	to put together, get ready	горсове́т	Town Council
Разреши́те ... !	Allow me to ... !	у меня́ не хва́тит	I won't have enough (see grammar section)

1/18 Автобус ехал от вокзала в сторону площади Кирова – центральной площади города. Доехав до улицы Ленина, он повернул направо, проехал ещё немного, затем выехал на улицу Седова. Руслан стоял на задней площадке автобуса и смотрел на незнакомые улицы, здания, людей. Это было совсем не похоже на Москву. Автобус свернул на улицу Байкальскую – одну из самых длинных улиц Октябрьского района – и поехал по направлению к микрорайону Байкальский. Проехав несколько остановок, автобус остановился у девятиэтажного дома номер 286, где, в квартире номер 87, живёт Николай Дмитриевич.

1/19
- Дядя Коля, а на каком этаже ты живёшь?
- На девятом.
- Ничего себе! А оттуда Байкал виден?
- Нет, конечно. До Байкала 70 километров!
- Дядя Коля, а у тебя есть телевизор?
- Ну Руська, конечно, есть.
- А какие здесь бывают передачи?
- Ну как в Москве, но у нас есть и свои каналы. Дома посмотришь программу передач. А сегодня вечером будет концерт песен Булата Окуджавы.

повора́чивать / поверну́ть	to turn
за́дний	rear
площа́дка	platform
незнако́мый	unfamiliar
похо́ж	similar to
свора́чивать / сверну́ть	to turn off (a road)
направле́ние	direction
микрорайо́н	neighbourhood
Ничего́ себе́!	Wow!
ви́ден	visible
переда́ча	programme, broadcast

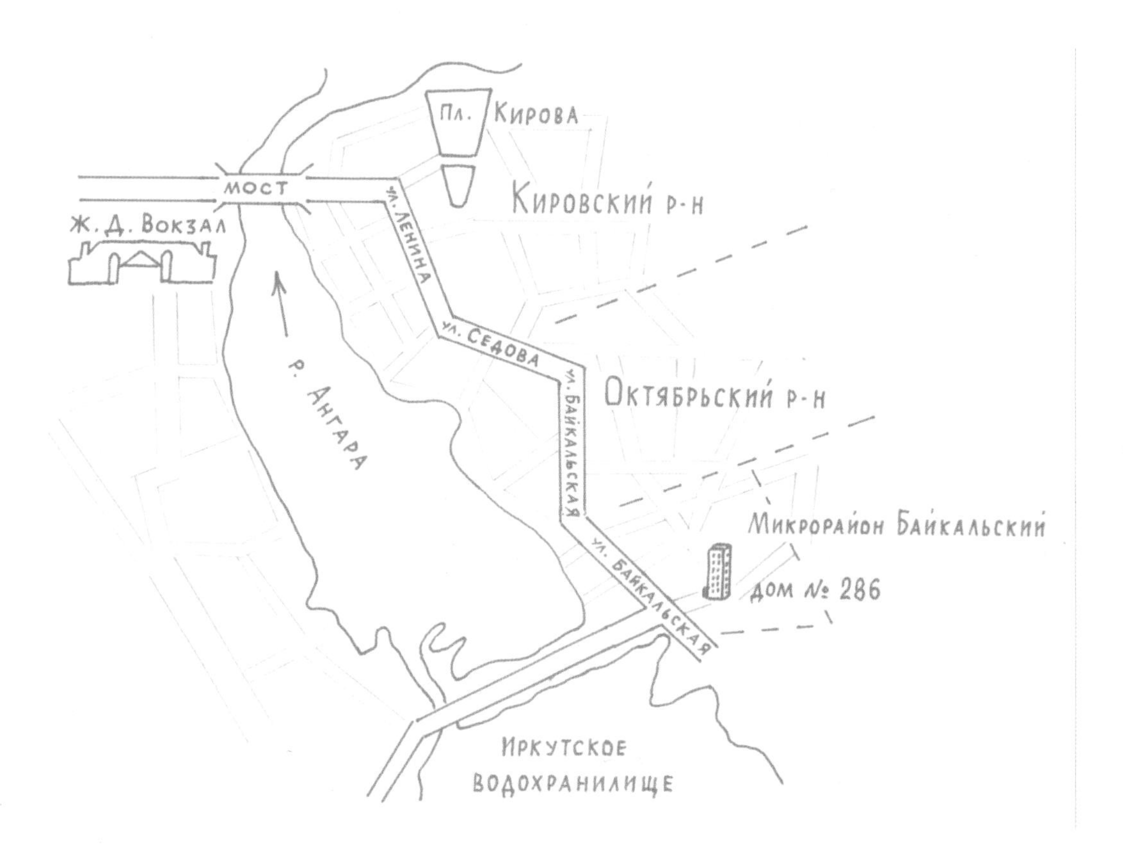

УРОК 2 Информация

Комары

1/20

Комары распространены на всей территории России, кроме центров крупных городов, где их почти нет. Особенно много комаров в лесу и там, где болотистая местность. Однако они могут вас атаковать даже в парках и пригородах столицы. Время наибольшей их активности - июнь и июль.

Большинство комаров не опасны, хотя их укус неприятен и у многих людей после их укуса бывает покраснение кожи, небольшая припухлость и сильный зуд.

Малярийных комаров мало в Российской Федерации. Там, где они встречаются, людям делают прививки.

Клещи

1/21

Эти маленькие насекомые также широко распространены в лесах и вне крупных городов. Клещ активен в мае и июне. Он безболезненно входит в наиболее мягкие части тела, сосёт кровь, разбухает, и только тогда его можно почувствовать. В последнее время энцефалитные клещи начали появляться чаще, особенно на Дальнем Востоке. Чтобы избежать заболевания, необходимо сделать прививку.

Пишет Михаил Кукушкин,
рисунки Леонида Кукушкина.

Guess the meanings:
распространён
кру́пный
боло́тистый
ме́стность (f.)
при́город
наибо́льший
акти́вность (f.)
большинство́
уку́с
покрасне́ние
ко́жа
припу́хлость (f.)
зуд
маляри́йный
приви́вка
насеко́мое
вне
безболе́зненно
мя́гкий
те́ло
соса́ть
кровь
разбуха́ть
энцефали́тный
избежа́ть
заболева́ние
необходи́мо

Темы для дискуссии:

1. Как Вы са́ми реаги́руете на уку́с комара́? У Вас быва́ет си́льное покрасне́ние ко́жи? У Вас быва́ет си́льный зуд?
2. Как Вы ду́маете, как отлича́ется реа́кция органи́зма на комари́ный уку́с у ме́стных жи́телей и у тури́стов?
3. Как, по Ва́шему мне́нию, мо́гут влия́ть комары́ и клещи́ на разви́тие тури́зма в Сиби́ри?

Вставьте слова:

врач - клещ - масло
голова - энцефалитный
вытаскивать - отнести́

Если в Вас впился _________, не надо его __________________. В этом случае под кожей останется его _____________. Залейте его ___________ и ждите, пока он сам выйдет. Если Вы думаете, что это может быть _________________ клещ, тогда надо __________ его в ближайшую поликлинику и показать __________.

If a tick has burrowed into you, you should not pull it out. In this case its head would remain under the skin. Pour oil over it and wait until it comes out by itself. If you think that it may be an encephalitic tick, then you must take it to the nearest poliklinika and show it to a doctor.

1/22

ИРКУТСК

Пишет преподавательница русского языка из Иркутска Нина Хилсдон.

Герб города Иркутска

Город Иркутск был основан в 1661 году на месте слияния рек Иркута и Ангары, а в 1825 он стал столицей Восточной Сибири.

Архитектурный силуэт старого Иркутска состоял из низких деревянных домов и высоких церквей. Летом 1879 года в Иркутске был страшный пожар, при котором сгорела большая часть деревянных строений. После революции 1917 года в Иркутске было разрушено множество церквей. Сегодня некоторые из них уже реставрированы, другие восстанавливаются по старым фотографиям и описаниям.

Иркутская область занимает площадь около 770 тысяч квадратных километров (4,5% территории России). Протяженность с севера на юг – 1500 километров, с запада на восток – 1300 километров. Плотность населения - 3,6 человека на один квадратный километр. Практически 80% жителей сосредоточено в городах.

Иркутск является столицей Восточной Сибири. Это культурный, исторический и научный центр региона. Здесь - 10 университетов и десятки колледжей и профессиональных учебных заведений. Население сегодняшнего Иркутска - 600.000 человек.

В Иркутске есть несколько театров, музеев, выставочных комплексов и спортивных сооружений. Иркутск находится в 70 километрах от озера Байкал и является туристическим центром для посещения озера и для зимних видов спорта.

Иркутская область богата нефтью, газом, углём и другими полезными ископаемыми. Здесь есть заводы, производящие алюминий, перерабатывающие нефть, выпускающие различные синтетические материалы, и так далее. 80% территории области покрыто лесами, здесь есть большие лесопромышленные комплексы. На территории области действуют три крупных ГЭС.

Find the Russian for :	to burn	density of population	coal
founded	building	square kilometre	useful
confluence	destroyed	inhabitant	mineral
architectural	a large number	concentrated	producing (find 2 words!)
silhouette	restored	scientific	aluminium
to consist of	to be reconstructed	an establishment	refining
low	description	exhibition site	synthetic
wooden	to occupy	sports complex	covered by forests
terrible, frightening	an area	visiting (noun)	industrial wood complex
fire	length	oil	

Темы для дискуссии:

1. Сравни́те Москву́ с Ирку́тском.
2. Чем отлича́ется столи́ца от провинциа́льных городо́в в Ва́шей стране́?
3. Пригото́вьте у́стную презента́цию об Ирку́тске с по́мощью фотогра́фий на страни́це 31.

Иркутск в конце 19-го века.
Старая открытка.

Собор в Иркутске сегодня.

Улица Урицкого, одна из главных улиц Иркутска. 2000 год.

Теперь улица Урицкого отремонтирована и является пешеходной зоной.

Деревянное здание в Иркутске.

Деревянные дома в Иркутске.

Новые квартиры в центре Иркутска. 2003 г.

Девятиэтажный дом в микрорайоне Иркутска.

Телевидение в России

Пишет Михаил Кукушкин.

1/23

Почти по всей территории России можно смотреть программы центрального телевидения из Москвы - это первый канал ОРТ (Останкино) и второй канал РТР. Также есть НТВ (Независимое ТВ), Культура, ТНТ и ещё несколько каналов, но они распространены не везде.

Центральные московские каналы транслируются по местному времени, с учётом разницы в часовых поясах и интересов региона.

Кроме московских каналов, в каждом крупном городе есть свои региональные студии. На частотах РТР также работают студии, которые представляют местную власть.

За официальные каналы платить не надо, и не надо покупать лицензию на просмотр. Есть телевизор - смотри! Однако в последние годы расцвело коммерческое телевидение, за которое надо платить. В больших городах появилось кабельное телевидение, и везде стало доступным спутниковое телевидение.

Есть каналы, которые работают только в определённое время суток и показывают, например, по вечерам - фильмы для взрослых, а по утрам - мультики для детей. Вы платите за декодер, который расшифровывает сигнал и позволяет смотреть передачи. Если плата не внесена, то вас “фильтруют” - ваш декодер пропускает только звук, без картинки или только картинку, без звука.

Провайдеры кабельного телевидения устанавливают оборудование в одной из квартир. Оттуда они обслуживают, например, несколько девятиэтажных домов или даже целый микрорайон.

Find the Russian for :
territory
channel
available, distributed
to be transmitted
local time
with an allowance for
difference
time zone
wavelength, frequency
local authority
a licence
watching (noun)
to blossom
cable television
available
satellite television
cartoons
a particular time
a decoder
to decode
a programme
payment
made (of a payment)
to filter
sound
picture
provider
equipment

Темы для дискуссии:

1. Каки́е телевизио́нные переда́чи Вы лю́бите смотре́ть и почему́?
2. Ско́лько у Вас телевизио́нных кана́лов?
3. Есть ли у Вас и́ли у Ва́ших знако́мых ка́бельное и́ли спу́тниковое телеви́дение?
4. Ско́лько вре́мени Вы смо́трите телеви́зор ка́ждый день?
5. Чем отлича́ется систе́ма телеви́дения в Росси́и от телевизио́нной систе́мы в Ва́шей стране́?

Останкинская телебашня в Москве

Окуджава Булат Шалвович (1924 – 1997) 1/24

Песенный кумир 60-70-х годов, основатель жанра авторской песни в России Булат Окуджава родился в Москве в грузинской семье. В 37 году его родители были арестованы. В 1942 году Окуджава добровольцем ушёл на фронт. После войны окончил филологический факультет Тбилисского Университета, работал учителем в школе, затем ушёл в журналистику.

Стихи писал с детства. В литературу Окуджава пришёл в 1956 году со сборником стихов "Лирика". С 1962 года член Союза писателей СССР.

Популярность пришла к Окуджаве, когда он взял в руки гитару и начал петь под собственную очень мелодичную музыку свои стихи. Вскоре их пели по всей стране. Невыпущенные песни Окуджавы расходились тысячами нелегальных копий на плёнках. Он стал символом эпохи романтических 60-х годов. Почти все знали наизусть слова таких песен, как “До свидания, мальчики!”, “Последний троллейбус”, “Чёрный кот”, “Бумажный солдатик”. Лирика Окуджавы и духовна, и философична, стихи трогают душу, заставляют задумываться...

Песни Окуджавы звучат в кинофильмах, спектаклях, по радио. Он писал также повести, романы, киносценарии.

Умер Булат Окуджава в Париже, но похоронен на Ваганьковском кладбище в Москве. Тысячи людей пришли на Арбат в театр Е. Вахтангова попрощаться с поэтом.

Пишет учитель русского языка Лариса Эгнер.

Find the Russian for:
idol
founder
genre
Georgian
arrested
volunteer
philological
journalism
poetry, verses
childhood
literature
collection of poems
member
Writer's Union
popularity
his own, one's own
melodious
unpublished
illegal copies
tapes
symbol
epoch
by heart
lyrics
spiritual
philosophical
to touch your soul
to make you think
stories
novels
screen plays
buried
cemetery
to say farewell to

Вопросы:
1. В какóй респýблике бы́вшего СССР учи́лся Окуджава пóсле войны́?
2. Как Вы дýмаете, что такóе “жанр áвторской пéсни”?
3. Почемý Окуджáву считáют основáтелем жáнра áвторской пéсни?
4. Окуджáва срáзу стал популя́рным поэ́том?
5. Как Вы дýмаете, почемý не все егó пéсни бы́ли официáльно выпущены?
6. Как лю́ди моглú слýшать невыпущенные пéсни Окуджáвы?
7. Почемý так мнóго людéй пришлó на пóхороны Б. Окуджáвы?

Past gerunds
тихо закрыв дверь - having closed the door quietly
поняв свою ошибку - having understood his mistake
A gerund is a verbal adverb. Gerunds are indeclinable. The past gerund is always perfective and translates phrases like "Having done this, ...".
To form the past gerund, take the -ть ending from the perfective infinitive and replace it with -в:

приéхав - having arrived
увúдев - having seen

Infinitives ending in -ти have the past gerund in -дя. See lesson 9.
Other exceptions are rare, learn them as you meet them.

Russian is more precise than English in the use of the past gerund. Whereas we might say "Opening the door he went into the room", the Russians would always say "Откры́в дверь, он вошёл в кóмнату". The first action is completed before the second is started. It is therefore past perfective.

Note how the past gerund can be followed by ", как ..." (always preceded by a comma):

Замéтив, как из другóго вагóна выхóдит брюнéтка, ...
Noticing a brunette getting out of another carriage, ...

Past gerunds of reflexive verbs
не поздоровавшись - not having said hello
побрившись - having shaved
To form the past gerund of a reflexive verb, take the -ться ending from the perfective infinitive and replace it with -вшись.

раздéвшись - having undressed
вернýвшись - having returned

Find an example of a past gerund in the Okudzhava songs on page 40.

Он лёг спать на верхнюю полку. He went to bed on the top bunk.
ложиться / лечь - "to lie down" - is reflexive in the imperfective aspect, but not in the perfective. The past perfective endings are:

я, ты, он лёг
я, ты, онá леглá
мы, вы, онú леглú (The past gerund is лёгши)

Она ошиблась с бронью. She made a mistake with the reservation.
ошибáться / ошибúться - "to make a mistake" has the past perfective endings:

я, ты, он ошúбся
я, ты, онá ошúблась
мы, вы, онú ошúблись

When you are telling someone they are wrong about something, use the present tense:

- Нет. Вы ошибáетесь. Это неправда!

В какой области вы работаете? In what area do you work?
óбласть has both concrete and abstract meanings:

concrete	москóвская óбласть	-	the Moscow region
abstract	óбласть эколóгии	-	the sphere of ecology

встреча на Братской ГЭС - a meeting at the Bratsk Hydroelectric Station
Russian uses many abbreviations as nouns. You met the abbreviation "ГУМ" in Ruslan 1. These abbreviations usually use the gender of the main noun.

МГУ - Москóвский Госудáрственный Университéт
Moscow State University - masculine
ВВС - Воéнно Воздýшные Сúлы
Military Air Forces - feminine plural

but sometimes acquire their own gender according to their spelling:

МИД - Министéрство Инострáнных Дел
Ministry of Foreign Affairs - originally neuter, now masculine.

Some of these abbreviations will decline like ordinary nouns:

в ГУМе - in GUM
сотрýдник МИДа - a worker of MID

but others don't:

на Брáтской ГЭС - at the Bratsk Hydro-Electric Station
о СМИ - about the mass media (о срéдствах мáссовой информáции)

В озёрах тоже хорошо купаться. It is also good to bathe in the lakes.
óзеро has a stress change in the plural - озёра

много клещей - a lot of ticks
Masculine nouns that end in -ж, -ч, -ш or -щ have the genitive plural ending -ей:

грýппа товáрищей - a group of comrades
пять ножéй - five knives

Дорогой длинною, да ночкой лунною ...
Down the long road, through the moonlit night ...
The alternative feminine instrumental singular ending in -ою or -ею is often used in songs and poetry. There is a similar pronoun ending, see lesson 7.

Нас встречают. We are being met.
This passive form is used in colloquial speech as well as in formal announcements. The verb is used in the third person plural, but онú is omitted.

Он развернулся. He turned round.
развёртываться / развернýться - "to turn round". There are several verbs "to turn" in this lesson, with different prefixes according to the exact meaning. Further examples:

Автóбус повернýл напрáво. The bus turned right.
Он свернýл на ýлицу ... It turned off on ... street

У меня денег не хватит. I won't have enough money.
хватáть / хватúть is used impersonally. It conveys "to have sufficient of" and is followed by the genitive:

У них не хватáло бензúна. They didn't have enough petrol.

Note the colloquial usage:

Хвáтит! Stop it! (That will be enough!)

горсовет - the town council
Russian has many compound nouns for official institutions or organisations.
Горсовéт is the standard compound for городскóй совéт.
Other useful compounds are:

компáртия - коммунистúческая пáртия
Евросоюз - the European Union
колхóз - коллектúвное хозяйство

Руслан стоял на задней площадке автобуса.
Ruslan stood on the rear platform of the bus.

Grammatically площáдка is a diminutive of плóщадь - “a square” - but it has a meaning in its own right - “platform”.

Diminutive endings include the following. Masculine -ок, -ек, -ёк, -ик, -чик, -ец. Feminine -ка, -очка, -ичка, -ушка. Neuter -ко, -шко.

кни́жка	notebook	стóлик	small table or small restaurant table
городóк	small town	окóшко	small window (diminutive of óко - eye [archaic])

Some masculine nouns have diminutives with feminine endings:

брати́шка little brother

Many diminutives have a change in meaning:

братóк friend

Diminutives either render a derived meaning (“square” > “platform”), or imply a particular nuance, e.g. smallness, affection, disdain or irony:

городи́шко dirty litttle town

The consonant that precedes diminutive endings can mutate, for example г to ж:

друг дружóк флаг флажóк

Many first names have a large number of different possible diminutives:

Сергéй: Серёжа, Серёга, Серёженька
Ивáн: Вáня, Вáнька, Ваню́ша, Ваню́шка, Ивáнушка, Ваня́ха ...

Do not confuse the diminutives of names with the colloquial vocative case (lesson 10).

Это было совсем не похоже на Москву. It was not at all like Moscow.

похóж is a short adjective, here in the neuter, with the ending -е because unstressed о cannot follow ж:

он похóж, онá похóжа, онó похóже, они́ похóжи

похóж на - “like, resembling” - takes the accusative case.

А оттуда Байкал виден? And is Baikal visible from there?

ви́ден is a short adjective, here in the masculine. The -е- is a fleeting -е- that is inserted in the masculine only:

он ви́ден, онá виднá, онó ви́дно, они́ видны́

Sometimes a fleeting -о- is used, as in the short form of пóлный - “full”:

он пóлон, онá полнá, онó полнó, они́ полны́

There is a full summary of the forms and usage of short adjectives in Lesson 9.

программа передач - the list of programmes

прогрáмма can mean both a TV or radio programme and a programme of events. передáча means only a TV or radio programme, in the sense of “a broadcast”.

концерт песен - a concert of songs

пéсня - “a song” - has the genitive plural пéсен.

здороваться - to say hello

In Ruslan 2 you learnt that verbs with infinitives in -овать or -евать have their own conjugations: я танцу́ю, ты танцу́ешь, etc. Do not confuse these with verbs which have a stem ending in -ов or -ев, and infinitive endings -ать or - еть. For example здорóваться and зевáть - “to yawn”. These have standard conjugations:

я здорóваюсь, ты здорóваешься, ... etc., я зевáю, ты зевáешь, etc.

УРОК 2 — Упражнения

1. Вопросы к тексту

а. Когда́ мужчи́на вошёл в купе́?
б. На како́й по́лке он спал?
в. Когда́ мужчи́на просну́лся, он сра́зу поздоро́вался?
г. Кем он рабо́тает?
д. Как он помо́г Лю́де и Русла́ну на вокза́ле в Ирку́тске?
е. Кто встре́тил Лю́ду и Русла́на на вокза́ле?
ж. Почему́ они́ не пое́хали на такси́?
з. Како́й у дя́ди Ко́ли а́дрес?

2. Use the verbs to fill in the gaps with gerunds that make sense

а. ___________ го́лос ма́тери, ма́льчик успоко́ился.
б. ___________ свою́ оши́бку, она́ верну́лась домо́й.
в. ___________ до светофо́ра, авто́бус останови́лся.
г. ___________ твою́ кни́гу, я по́нял твою́ пробле́му.
д. ___________ генера́ла, солда́т убежа́л.
е. ___________ телеви́зор, он пошёл спать.
ж. ___________ счёт, Ми́ша заплати́л официа́нтке и вы́шел из рестора́на.

поня́ть - услы́шать - вы́ключить - прочита́ть
дое́хать - уви́деть - попроси́ть

3. Expand the following compound nouns

медсестра - медбрат - исполком
госдума - горсовет - сберкасса
теракт - госкомстат - бомж
турагент - детсад

местожи́тельство	- place of residence
исполни́тельный	- executive (adj.)
определённый	- defined
сберега́тельный	- savings (adj.)
стати́стика	- statistics
террористи́ческий	- terrorist (adj.)

4. Expand the following abbreviated nouns

ГУМ - ЦУМ - НЭП - МХАТ - ФСБ - МВД - МИД

Новые слова:
академи́ческий - безопа́сность - вну́тренний - госуда́рственный
де́ло - иностра́нный - министе́рство - поли́тика - слу́жба - универса́льный
федера́льный - центра́льный - экономи́ческий - худо́жественный

5. Fill in the gaps with past tense verbs in the third person plural

а. Нас ____________________ на конце́рт.
б. Друзья́ ____________________ меня́ на вокза́ле.
в. Про вас давно́ ____________________.
г. Его́ ____________________ с деньга́ми в карма́не.
д. Пе́сню ____________________ гро́мко.
е. Нам ____________________ в рубля́х.

петь - встре́тить - арестова́ть - забы́ть - пригласи́ть - оплати́ть

6. Choose words to fill the gaps, changing the endings if needed

а. Я всегда́ сплю о́чень ________________.
б. Оста́лись биле́ты то́лько на ________________ по́лки!
в. Она́ почти́ всегда́ ________________ спать ра́но, но в э́ту суббо́ту она́ ________________ то́лько в час но́чи.
г. "Уважа́емые пассажи́ры! Это ________________ остано́вка. Выходя́ из авто́буса, не забыва́йте свой ________________!"
д. Со́лнце его ________________.
е. У ________________ не хвата́ет де́нег.

вещь - Прави́тельство - кре́пко - ве́рхний - коне́чный
разбуди́ть - ложи́ться - лечь

7. Give the meaning of the following:

до́мик
кружо́к
програ́ммка
пти́чка
ви́лочка
но́чка
брато́к
брати́шка
кни́жка
око́шко
ру́чка
ре́чка
доро́жка

8. What diminutives do you expect to derive from the following?

дочь
нож
нога́
сестра́
дед
бума́га
магази́н
солда́т
рестора́н
биле́т
су́мка

Языковая практика

1. Устная работа в парах

Зада́йте вопро́сы и расскажи́те друг дру́гу о том, как Вы спи́те, и о том, спа́ли ли Вы когда́-нибу́дь в по́езде.
Вы обы́чно кре́пко спи́те? Наприме́р, до́ма?
Вы когда́-нибу́дь спа́ли в по́езде?
- Куда́ Вы е́хали? Отку́да?
- Вы спа́ли на ве́рхней или на ни́жней по́лке?
- Кто ещё был в купе́?
- Вы кре́пко спа́ли в ту ночь?
- Что Вас разбуди́ло?

2. Устная работа в парах

Опиши́те пое́здку на маши́не и́ли на авто́бусе по маршру́ту, по кото́рому Вы неда́вно прое́хали и кото́рый Вы хорошо́ зна́ете.

Ваш партнёр до́лжен записа́ть на бума́жке, как Вы е́хали, каки́е зда́ния Вы проезжа́ли, где Вы повора́чивали и т.д.

Пото́м Ваш партнёр до́лжен описа́ть, как он е́хал по обра́тному маршру́ту!

3. Устная работа в парах

Посмотри́те на план Ирку́тска (стр.28).
- Опиши́те доро́гу от вокза́ла до до́ма, где живёт дя́дя Ко́ля.
- Опиши́те доро́гу от до́ма, где живёт дя́дя Ко́ля, до вокза́ла.

Начни́те так ...
"Отъе́хав от вокза́ла поверни́те напра́во. Езжа́йте че́рез мост ..."

4. Пишите!

Напиши́те инстру́кцию для ру́сского дру́га или знако́мого о том, как найти́ Ваш дом / Ва́шу кварти́ру, Ва́шу шко́лу, Ва́ше ме́сто рабо́ты, дом Ва́ших роди́телей и́ли Ва́шего бра́та и т.д.

Напиши́те, как найти́ эти места́ :
а. на маши́не
б. на обще́ственном тра́нспорте / пешко́м
Начни́те так:

> а. Чтобы найти мой дом / мою квартиру и т.д., нужно доехать сначала до ..... Потом .....
> б. Садитесь в автобус / поезд № ... от ..... до .....
> Потом .....

5. Устная работа в группе

Зада́йте друг дру́гу вопро́сы ти́па:
- Что тако́е ГУМ?
- Это Госуда́рственный Универса́льный Магази́н.
- Где Вы бы́ли?

- Я был в Госуда́рственном Универса́льном Магази́не.
- Отку́да Вы вы́шли?
- .... и т.д.

ГУМ
ЦУМ
НЭП
МХАТ
ФСБ
МВД
МИД

> *Ask only appropriate questions - e.g. you cannot be "in НЭП"!*
> - Вы жи́ли во вре́мя Но́вой Экономи́ческой Поли́тики?
> *would be an appropriate question.*

6. Задание для группы

Соста́вьте 6 предложе́ний о Росси́и - 3 пра́вильных и 3 непра́вильных.

например: - В Сиби́ри мно́го комаро́в. (пра́вильно)
- В Москве́ ма́ло маши́н. (непра́вильно)

Прочита́йте вслух свои́ предложе́ния. Когда Вы произно́сите пра́вильное предложе́ние, Ва́ши колле́ги должны́ согласи́ться с Ва́ми:
- В Сиби́ри мно́го комаро́в.
- Да, согла́сен / согла́сна. В Сиби́ри о́чень мно́го комаро́в.

А когда́ Вы произно́сите непра́вильное предложе́ние, Ваши колле́ги должны́ не согласи́ться с Ва́ми:
- В Москве́ ма́ло маши́н.
- Нет, Вы ошиба́етесь! В Москве́ мно́го маши́н.

7. Прослушайте песни Булата Окуджавы. Вставьте пропущенные слова!

Поют Валерий и Галина Поляковы.

1/25

Песенка о бумажном солдатике

___________________________________,
_______________ и отважный.
Но он игрушкой детской был -
Ведь _____________________________.

Он переделать _____________________,
Чтоб был счастливым каждый.
А сам на ниточке висел -
Ведь _____________________________.

Он ____________________ - в огонь и в дым -
За вас ________________ дважды,
Но потешались вы над ним -
___________________________________.

Не доверяли вы ему
___________________________________.
А ________________? - а _______________,
___________________________________.

А он, судьбу свою кляня,
Не тихой жизни жаждал,
И всё просил: - Огня, огня! -
___________________________________.

- В огонь? Ну что ж! Иди! Идёшь?
И он шагнул однажды.
И там сгорел он ни за грош -
___________________________________.

Little song about a little paper soldier
There lived a soldier,
Good looking and courageous.
But he was a child's toy.
He was just a paper soldier.

He wanted to change the world,
So that everyone would be happy.
But he was hanging from a string.
He was just a paper soldier.

He would have been glad to go in the fire
and the smoke and die for you twice over.
But you laughed at him -
He was just a paper soldier.

You did not trust him
With your important secrets.
And why? Well because
He was just a paper soldier.

And he, cursing his fate,
Did not thirst for a quiet life,
He kept on asking: Fire! Fire!
Forgetting that he was of paper.

- Into the fire? All right then! Go! Are you going?
And he marched off one day.
And there he burnt up, not worth a farthing.
He was just a paper soldier.

1/26

Давайте восклицать!

Юрию Трифонову

Давайте восклицать, ___________ восхищаться.
Высокопарных слов не надо опасаться.
_________________________________ -
Ведь это всё ________ счастливые __________.

Давайте горевать и плакать откровенно
То ________, то врозь, а то попеременно.
Не надо придавать значения злословию -
Поскольку грусть всегда соседствует ________.

Давайте понимать ____________ с полуслова,
Чтоб, ошибившись раз, не ошибиться снова.
Давайте жить, во всём _____________ потакая,
Тем более, что ___________ короткая такая.

For Yuri Trifonov

Let us exclaim, let us delight in each other.
Don't be frightened of high-flown words.
Let us make compliments to each other -
After all, these are the happy moments of love.

Let us be sad and cry with sincerity
Sometimes together, sometimes apart, sometimes by turns.
Don't give any importance to spiteful gossip -
For sadness always is the companion of love.

Let us understand each other with half a word,
So that, having made a mistake once, we won't make it again.
Let us live, indulging each other in everything,
All the more as life is so short.

8. Составьте диалоги!

а. Дя́дя Ко́ля и Русла́н.

Дядя Коля:

Дя́дя Ко́ля спра́шивает о том, как они дое́хали, понра́вилось ли Русла́ну е́хать на по́езде, где по́езд остана́вливался, что они́ де́лали в Новосиби́рске и каки́е у них бы́ли попу́тчики.

Дя́дя Ко́ля отвеча́ет, что э́то бы́вший горсове́т, и выска́зывает своё мне́ние по по́воду сего́дняшних чино́вников.

Дя́дя Ко́ля расска́зывает о го́роде и предлага́ет ра́зные развлече́ния, в том числе́ и телевизио́нные переда́чи.

Руслан:

Русла́н отвеча́ет на вопро́сы и пока́зывает фотогра́фию паровоза, кото́рый он ви́дел в железнодоро́жном музе́е в Новосиби́рске.

Русла́н спра́шивает дя́дю Ко́лю, что тако́е "городска́я Ду́ма".

Русла́н молчи́т.

Русла́на интересу́ют все предложе́ния дя́ди Ко́ли, но осо́бенно ему́ хо́чется пое́хать на о́зеро Байка́л.

Приду́майте са́ми подходя́щую концо́вку для э́того разгово́ра.

парово́з	-	steam train
выска́зывать мне́ние	-	to give an opinion
молча́ть	-	to be silent
предложе́ние	-	suggestion

б. Люда звонит в Москву своей подруге Тамаре.

Люда:

Лю́да опи́сывает пое́здку и встре́чу с Тимофе́ем Никола́евичем Ка́рповым.

Лю́да опи́сывает кварти́ру.

Лю́да отвеча́ет на вопро́сы Тама́ры.

Тамара:

Тама́ра спра́шивает, как дела́ в Ирку́тске, расспра́шивает о кварти́ре.

Тама́ра спра́шивает, ско́лько они́ там проживу́т и чем бу́дут занима́ться.

Приду́майте са́ми подходя́щую концо́вку для э́того разгово́ра.

УРОК 3 Иван и Питер

1/27 Иван Иванович Козлов познакомился с Людмилой четыре года назад в Москве, и с тех пор он часто думает о ней. Он, наконец, решил её отыскать. Приехав в Москву в командировку, он пошёл на Старый Арбат по адресу, где раньше жила Зоя Петровна. Но квартира уже была продана, и семьи Звоновых там не было. Вспомнив, что Людина тётя живёт во Владимире, Иван решил поехать туда. В пятницу вечером он отправился в путь на "Жигулях", о чём он потом пожалел. Все отправлялись на дачи в Подмосковье, и дороги были забиты на несколько километров.

Приехав во Владимир, он нашёл в телефонной книге фамилию "Кисин" и три возможных номера. Потом он начал звонить.

1/28 На первый звонок ответил мужчина, который сердито отреагировал на просьбу Ивана и, выразив своё неудовольствие нецензурными словами, которые не надо писать в учебнике русского языка для иностранцев, повесил трубку.

Второй звонок дал более положительный результат, но совсем не тот, которого ожидал Иван. Нежным голосом ответила молодая женщина. Узнав, кто такой Иван и кого он ищет, женщина объяснила, что её зовут не Людмила, а Нина Кисина и что она бы с удовольствием встретилась с бизнесменом из Саранска, чтобы провести с ним время. Иван, конфузливо поблагодарив её, в свою очередь повесил трубку.

На третий звонок ответила старушка. Иван подумал, что это, может быть, тётя Людмилы, однако нет, это была не она. Старушка сказала, что помнит одну Анастасию Кисину, которая раньше жила возле пивного завода и у которой были родственники в Москве. Она не смогла точно назвать улицу, но вспомнила, что это улица с названием, связанным с каким-то политиком или революционером.

1/29 Иван поблагодарил старушку. Но что делать теперь? Он знал, что в таком городе, как Владимир, должно быть очень много улиц с названиями, связанными с политиками или с революционерами. Наверное, есть улица Свердлова, проспект Андропова, Косыгинский переулок и так далее. Иван решил бросить это дело и вернуться в Москву. Слишком уж оно было сложным. И без того у него было много разных проектов. Его сильно заинтересовал факс, полученный вчера от его старого английского знакомого, Питера.

отыска́ть (perf.)	to search out	ве́шать / пове́сить	to hang (something)
про́дан	sold	пове́сить тру́бку	to hang up the phone
жале́ть / по-	to regret	положи́тельный	positive
заби́тый	crowded, blocked	не́жный	tender
возмо́жный	possible	конфу́зливо	in confusion
серди́то	angrily	стару́шка	old woman
реаги́ровать / от-	to react	во́зле (+ gen.)	next to
выража́ть / вы́разить	to express	пивно́й заво́д	brewery
неудово́льствие	dissatisfaction	свя́занный с	connected with
нецензу́рный	uncensored	поли́тик	politician
уче́бник	textbook	броса́ть / бро́сить	to throw, abandon (an idea)
		сло́жный	complicated

ФАКС КЕМБРИДЖ, 12.05.2005г.

 1/30

Дорогой Иван!
Вам пишет Питер Смит. Вы, наверное, помните нашу встречу в Москве несколько лет назад. Прошу прощения, что после отъезда не поддерживал с Вами связь.

Я пишу Вам, чтобы узнать, сможете ли Вы помочь мне с новым секретным медицинским проектом. Мой хороший знакомый, медицинский сотрудник Кембриджского университета, нашёл новое средство против комаров. Я не могу сообщить Вам сейчас подробности, потому что средство всё ещё очень секретное. Однако мой друг скоро должен получить патент на это средство, и тогда мы сможем всё объяснить Вам о нём, как следует.

Нам надо будет проверить это новое средство в разных условиях. Я знаю, что у Вас есть знакомые в районе Байкала и что там много комаров. Поэтому я предлагаю провести испытание на Байкале. Я надеюсь, что Вы сможете нам помочь. Для проекта нам нужны две группы людей, по пятьдесят человек в каждой.

У нас, конечно, будет скромный бюджет для оплаты организаторов проекта. Если потребуется, я сам тоже приеду на время эксперимента.

Сообщите, пожалуйста, по факсу, интересует ли Вас такой проект. Позже я перезвоню Вам, чтобы договориться о контракте.

Искренне Ваш
Питер

- Как он здорово пишет по-русски! - подумал Иван. - А почему он меня называет на “Вы”? Надо позвонить Питеру.

 1/31

У Ивана было трое знакомых в районе Байкала, которые могли бы помочь в этом деле. Директор целлюлозно-бумажного комбината в Байкальске даже был его одноклассником. Он также был хорошо знаком с одним иркутским турагентом и с заместителем председателя иркутской Думы. С ними надо будет договориться, но Иван был уверен, что они согласятся, а сам он был рад оказать помощь старому другу Питеру.

проще́ние	forgiveness
подде́рживать / поддержа́ть	to support, maintain
связь (f.)	contact, connection
сотру́дник	worker
сре́дство	means, remedy
сообща́ть / -ить	to inform
подро́бность (f.)	detail
пате́нт	patent
как сле́дует	as we should
проверя́ть / прове́рить	to test, check
усло́вие	condition
предлага́ть / предложи́ть	to propose
проводи́ть / провести́	to conduct
испыта́ние	experiment, test
скро́мный	modest (small)
опла́та	payment
тре́боваться / по-	to be required
и́скренне	sincerely
здо́рово	splendidly
целлюло́зно-бума́жный	cellulose-paper (adj.)
комбина́т	factory, plant
однокла́ссник	classmate
тураге́нт	tourist agent
соглаша́ться / согласи́ться	to agree
ока́зывать / оказа́ть по́мощь	to give help

1/32 Иван решил позвонить Питеру попозже. В одиннадцать часов по московскому времени в Кембридже будет восемь часов вечера, и Питер будет уже дома. От нечего делать Иван пошёл в баню.

Иван:	Дайте, пожалуйста, один билет.
Кассир:	Вам куда?
Иван:	В баню, конечно.
Кассир:	Не умничайте, молодой человек. Вам в сауну? В душ? В общий зал?
Иван:	Ах! Извините, я не знал, что вы можете предложить такое разнообразие! Я здесь в первый раз. У нас в Саранске только общий зал.
Кассир:	Не знаю, как у вас в провинции, а у нас в столице по-другому!
Иван:	Ладно. Будьте добры, в общий зал.
Кассир:	Вам нужен веник? Берёзовый? Дубовый?
Иван:	Берёзовый, пожалуйста.
Кассир:	Пожалуйста. А полотенце?
Иван:	У меня своё полотенце.
Кассир:	Хорошо. С вас 50 рублей.
Иван:	Спасибо.

попо́зже	a bit later
ба́ня	Russian steam bath
у́мничать / с-	to be clever (ironic)
са́уна	sauna
о́бщий	general
Бу́дьте добры́, ...	Be so kind ...
разнообра́зие	variety
Ла́дно	Fine, OK
ве́ник	bunch of twigs
берёзовый	birch (adj.)
дубо́вый	oak (adj.)

Здание городской бани в Иркутске

Русская баня

Пишет Михаил Кукушкин.  1/33

В русской бане, как правило, есть раздевалка, моечный зал и парная. У некоторых людей есть своя баня - во дворе, но большинство населения ходит в городскую баню.

В маленьких посёлках работают общие бани, и моются в них мужчины и женщины в разные дни, как правило, женщины - по пятницам, а мужчины - по субботам. Таков распорядок работы бани. В другие дни не помоешься. В российских деревнях нет водопровода, поэтому в домах нет ни ванны, ни душа. Привилегия помыться, когда захочешь, есть только у тех, у кого имеется своя баня во дворе.

Если вы хотите посетить баню, купите билет при входе и проходите в раздевалку. В раздевалках есть кабинки для одежды. Ключ отдаётся дежурному (иначе его некуда положить).

В моечном зале стоят большие широкие скамьи. На скамьях - тазики (шайки), а вдоль стены - краны с горячей и холодной водой. Если тазик на скамейке перевёрнут, значит - это место свободно.

В парно́й вы можете попариться веником или просто посидеть и погреться. В моечном зале вас могут попросить потереть спину мочалкой, этому не надо удивляться! Для этого принято стоять не сзади человека, а сбоку от него.

С лёгким паром!

Веник и тазик

В бане. Ведро на скамье

Guess the meanings:
раздева́лка
мо́ечный зал
парна́я
двор
о́бщая ба́ня
в ра́зные дни
распоря́док
водопрово́д
привиле́гия
дежу́рный
скамья́
та́зик или ша́йка
кран
горя́чий
спина́
моча́лка
сза́ди
сбо́ку

Вопросы:

1. Где лю́ди раздева́ются в ба́не?
2. Мужчи́ны и же́нщины обы́чно мо́ются вме́сте?
3. Почему́ в росси́йских деревня́х в дома́х ча́сто нет ни ва́нны, ни ду́ша?
4. Вы оста́вили оде́жду в каби́нке. Куда́ на́до положи́ть ключ?
5. Как мо́жно узна́ть, что ме́сто свобо́дно?

Слушайте!

1/34

Прослу́шайте разгово́р с Ми́шей Куку́шкиным о ба́не.

1. Найди́те сле́дующие выраже́ния:
   as a rule
   if there is an excuse
   more often
   what sort of feeling?
   the pores are open
   a good mood
   as though you have got younger

2. Что вы мо́жете узна́ть из разгово́ра с Ми́шей, о чём не напи́сано в те́ксте на э́той страни́це?

 1/35

Автомобильные дороги России

Общая протяжённость автомобильных дорог в России превышает 1.1 млн. км. Однако многие из них находятся в неудовлетворительном состоянии.

К 50 тысячам населённых пунктов нет дорог с твёрдым покрытием. Обычно туда можно проехать в сухую погоду, а после дождя бывает очень трудно, иногда даже невозможно.

Себестоимость перевозок на российских дорогах в полтора раза выше, чем в странах с развитой инфраструктурой.

В европейской части страны сеть дорог более развита, чем, например, на востоке. Якутия, Приморье и весь Дальний восток не были соединены автодорогой с остальной частью России вплоть до 2004 года.

В 1978 году началось строительство дороги "Амур" от Читы до Хабаровска протяжённостью в 2165 км, и завершение её строительства планируется к 2008 году.

Особенно остро стоит проблема перегрузки автодорог вокруг крупных городов по выходным дням, когда многие выезжают на дачу или возвращаются оттуда.

Вокруг Москвы есть кольцевая дорога МКАД. Её протяжённость 109 км. Также идёт строительство кольцевой автодороги вокруг Санкт-Петербурга.

Президент В.В. Путин 26 мая 2004 года заявил, что правительство должно в ближайшее время определить перечень платных автодорог.

Может быть, ситуация с автодорогами в России улучшится, когда люди начнут за них платить?

Guess the words:
превыша́ть
неудовлетвори́тельный
состоя́ние
населённый пункт
твёрдый
покры́тие
сухо́й
себесто́имость
перево́зка
в полтора́ ра́за вы́ше
ра́звитый
вплоть до
строи́тельство
заверше́ние
перегру́зка
кольцева́я доро́га
пла́тный
улу́чшиться

Да или нет?

1. В РФ бо́лее миллио́на киломе́тров автодоро́г.
2. По дереве́нским доро́гам быва́ет сло́жно прое́хать по́сле дождя́.
3. Доро́ги в за́падной ча́сти РФ бо́лее ра́звиты, чем в други́х райо́нах страны́.

Деревня в Иркутской области

Темы для дискуссии

1. Что означа́ет сокраще́ние "МКАД"?
2. Как Вы ду́маете, почему́ в Росси́йской Федера́ции всегда́ пробле́мы с доро́гами?
3. Ду́маете ли Вы, что ситуа́ция с автодоро́гами в Росси́и улу́чшится, когда́ поя́вится бо́льше пла́тных доро́г?

Новая автодорога "Амур"

Анекдот о советских дорогах

1/36

Однажды немец приехал в СССР на новом БМВ и на одной из дорог попал колесом в яму. Повредил подвеску. Без ремонта дальше ехать невозможно.

Немец вызвал гаишников. Когда приехали гаишники, немец их спрашивает:

- Что у вас за дороги? Ямы кругом, и нет предупреждающих знаков. Я из-за этого машину повредил. Вы бы хоть какое-то ограждение поставили или красный флажок установили.

Милиционер отвечает:

- Ты когда через советскую границу проезжал, видел красный флаг?
- Видел.
- Так вот, действие этого флага распространяется на всю территорию Советского Союза.

Find the Russian for:
a German
BMW
to fall
wheel
hole in road
to damage
suspension
repair
traffic police
all around
warning sign
at least
barrier
to put up
frontier
validity

Нецензурные выражения в русском языке (мат)

1/37

В русском языке очень большой запас нецензурных выражений. Даже у Пушкина есть "хулиганские" стихи, где он использовал русский "мат". Вы можете услышать ругательства матом на улице и довольно часто в мужской компании. Несколько раз власти пытались запретить людям выражаться неприличными словами, но безуспешно.

Если у Вас есть желание изучить такие слова, то рекомендуем Вам поговорить с близким русским другом или посмотреть в Большом Оксфордском словаре русского языка, 3-й выпуск.

Vulgar (uncensored) expressions in the Russian language (мат)

In the Russian language there is a __________________ of vulgar expressions. Even Pushkin has his ___________________ where he used the Russian "mat". You _________________________ in the street and quite ______________________________. Several times the _______________ have _______ to ban people from _________________ with indecent __________, but _____________.

If you have ___________________________ such words, then _______________that you ___________ a close ________________ or ________________ in the Large Oxford Russian Dictionary, 3rd edition.

"Извините, я не понял. Куда мне надо идти?"

Past passive participles - short form

These are formed by replacing the infinitive endings -ать or -ять with -ан and the endings -ить or -еть with -ен. The short participle agrees with the noun that it qualifies in the same way as a short form adjective.

Кварти́ра про́дана. The flat is sold.
Они и́збраны. They have been elected.
Анке́та запо́лнена. The form has been filled in.

What is prohibited?

You can form the pluperfect by adding был, была́, бы́ло or бы́ли:

Дом был про́дан. The house had been sold.
Они уже бы́ли и́збраны. They had already been elected.

Past passive participles - long form

These are formed by adding the ending -ный to the short form. The long form of the participle is a verbal adjective, and declines as an adjective, agreeing with the noun that it qualifies:

факс, полу́ченный вчера́ - the fax received yesterday
у́лица с назва́нием, свя́занным с революционе́ром - a street with a name linked with a revolutionary

This long form is mainly used in written texts.

Он начал звонить. He started ringing.

It is a useful rule to remember that when certain verbs are followed by an infinitive, this infinitive is always imperfective. These include: начина́ть / нача́ть, конча́ть / ко́нчить, продолжа́ть / продо́лжить, перестава́ть / переста́ть (to stop doing something) and запреща́ть / запрети́ть (to forbid).

три возможных номера - three possible numbers

When the numerals два, три and четы́ре are used with masculine and neuter nouns and adjectives, the adjective is in the genitive plural while the noun is in the genitive singular.

два молоды́х генера́ла - two young generals
три разби́тых окна́ - three broken windows

For feminine nouns the adjective is in the nominative plural and the noun in the genitive singular:

четы́ре краси́вые студе́нтки - four beautiful girl students

выразив своё неудовольствие - having expressed his displeasure

It is a useful rule to remember that when a perfective verb is formed with the prefix вы-, this prefix is always stressed in all perfective forms:

выходи́ть / вы́йти - to come out: она́ вы́шла, она вы́йдет и т.д.
выража́ть / вы́разить - to express: он вы́разил, вы́разив и т.д.

Я пишу Вам, чтобы узнать, сможете ли Вы помочь мне ...
I am writing to you to find out whether you can help me ...

The particle ли is used to express “whether”. In the subordinate clause the verb is placed immediately after the introductory comma, followed by ли and then by the subject of the clause.

... сможете ли Вы помочь мне - ... whether you can help me

помога́ть / помо́чь - “to help” is followed by the dative case.

в каждой группе по пятьдесят человек
- with fifty people in each group

по is used in this construction with the accusative of the numeral to convey "each" or "per" - "with fifty people per group".

если потребуется - if it will be necessary

The verb тре́боваться / потре́боваться is used in the third person only.

Искренне Ваш, ... Yours sincerely, ...

This form of letter ending is translated from the English and has entered the Russian language as an anglicism. The more usual formal letter ending in Russian is:
С уваже́нием, ...

искренне - sincerely

Adverbs from soft adjectives (и́скренний - sincere - is a soft adjective) use the ending -е instead of -о:

и́скренний - sincere	и́скренне - sincerely
кра́йний - extreme	кра́йне - extremely

оказать помощь старому другу Питеру - to give help to his old friend Peter

Nouns derived or associated with a verb that governs a particular case will usually govern that case themselves. Thus nouns that govern the dative include:

по́мощь - письмо́ - сообще́ние - обуче́ние

More examples of nouns and participles that take specific cases:

обуче́ние ру́сскому языку́	-	teaching of the Russian language
кома́ндующий фло́том	-	commander of the fleet

Он решил позвонить Питеру попозже. He decided to ring Peter a bit later.

The prefix "по-" with comparative adverbs suggests "a bit"

побли́же	-	a bit closer	поти́ше	-	a bit quieter
пода́льше	-	a bit further	поаккура́тнее	-	a bit more carefully

Берёзовый? Дубовый? A birch one? An oak one?

Trees, bushes and flowers have adjectives with the ending -овый. Examples:

берёза	-	берёзовый	-	birch
дуб	-	дубо́вый	-	oak
ель	-	ело́вый	-	fir
и́ва	-	и́вовый	-	willow
кашта́н	-	кашта́новый	-	chestnut
кедр	-	кедро́вый	-	cedar
ли́па	-	ли́повый	-	lime
мали́на	-	мали́новый	-	raspberry
облепи́ха	-	облепи́ховый	-	sea buckthorn
сморо́дина	-	сморо́диновый	-	currant
сосна́	-	сосно́вый	-	pine
тюльпа́н	-	тюльпа́новый	-	tulip

Note the soft variant with -е- or -ё- :

ви́шня	-	вишнёвый	-	cherry
сире́нь	-	сире́невый	-	lilac

Липовая аллея в Москве

УРОК 3 Упражнения

1. Вопросы к тексту

а. Почему́ Ива́н пое́хал во Влади́мир?
б. С кем он там говори́л по телефо́ну?
в. Почему́ Пи́тер написа́л письмо́ Ива́ну?
г. Как Ива́н смо́жет помо́чь Пи́теру?
д. Почему́ сре́дство Пи́тера секре́тное?
е. Что Пи́тер пи́шет про бюдже́т своего́ прое́кта?
ж. Почему́ Ива́н пошёл в ба́ню?

2. Fill the gaps with short form participles. Change the endings if necessary

а. Этот дом уже́ ____________.
б. Телеви́зор не ____________.
в. Письмо́ ____________ мини́стром фина́нсов.
г. Его́ статья́ не ____________.
д. Окно́ бы́ло ____________.
е. Конья́к уже́ ____________.

включён - подпи́сан - про́дан - разби́т - опублико́ван - вы́пит

3. Change the sentences to reported speech, as in the example

Она́ спроси́ла: "Он был там?".
- Она́ спроси́ла, был ли он там.

а. Он спроси́л: "По́езд пришёл?".
б. Мать поинтересова́лась: "Конце́рт бу́дет за́втра?".
в. Во́вик спроси́л: "Ни́на до́ма?"
г. Мари́я спроси́ла: "Буфе́т рабо́тает?"

4. Choose words to fill the gaps

а. Говори́те ________________! Я пло́хо слы́шу.
б. По́йте ________________! Ма́льчик спит.
в. Нале́йте ________________ су́па! Он о́чень вку́сный.
г. Подойди́те ________________! Я не ви́жу вас.
д. В суббо́ту пого́да бу́дет ________________.

поти́ше - побо́льше - потепле́е - погро́мче - побли́же

5. Choose words to fill the gaps, changing the endings if needed

а. Эти маши́ны у́же ________________.
б. Узна́в го́лос бы́вшей жены́, он пове́сил ________________.
в. Мой дире́ктор ожида́ет ________________ результа́та.
г. Он забы́л и ______________ аге́нта, и ______________ у́лицы, где он жил.

тру́бка - положи́тельный - про́дан - назва́ние - и́мя

6. Choose verbs to fill the gaps. Add the necessary past tense endings

а. Он _______________ генера́ла и _______________ из шта́ба.
б. Мы _______________ домо́й.
в. Его́ _______________ э́то де́ло.
г. Друзья́ _______________ ему́ с диссерта́цией.
д. Ме́дики _______________ её в лесу́ и _______________ в больни́цу.

помога́ть - верну́ться - поблагодари́ть - заинтересова́ть
вы́йти - найти́ - отвезти́

7. Choose verbs to fill the gaps. Add the necessary future tense endings

а. Я ду́маю, что он с тобо́й _________________.
б. Са́ша _________________ тебе́ э́то сде́лать.
в. Я _________________ вам из таксофо́на.
г. Вы не _________________ доро́гу.
д. Он _________________ на твоё письмо́ на сле́дующей неде́ле.
е. Они́ _________________ проду́кты в гастроно́ме.

отве́тить - помо́чь - купи́ть - согласи́ться - найти́ - позвони́ть

8. Лексика. Find the meanings

а. Нецензу́рные выраже́ния.
б. Рабо́тник како́го-то учрежде́ния.
в. Свиде́тельство о принадле́жности кому́-ли́бо изобрете́ния и́ли иде́и.
г. Объедине́ние не́скольких заво́дов и́ли фа́брик.
д. Ко́мната в ба́не, где лю́ди раздева́ются (а пото́м одева́ются!).
е. Ко́мната в ба́не, где лю́ди па́рятся.
ж. Широ́кая, пряма́я у́лица.
з. Узкая, крива́я у́лица.

комбина́т - раздева́лка - мат - сотру́дник - парна́я - проспе́кт
переу́лок - пате́нт

Языковая практика

1. Устная работа в группе

Зада́йте вопро́сы и расскажи́те друг дру́гу о том, как Вы когда́-ли́бо иска́ли а́дрес (дом, магази́н, аге́нство и т.д.) в Росси́и и́ли в како́й-нибудь друго́й стране́.

- Где э́то бы́ло? Когда́?
- Како́й а́дрес Вы иска́ли?
- Вы нашли́ его́? Это бы́ло тру́дно? Почему́?

2. Устная работа в группе

Зада́йте вопро́сы и расскажи́те друг дру́гу о том, ходи́ли ли Вы когда́-нибудь в ру́сскую и́ли в другу́ю ба́ню и́ли са́уну.

- Где э́то бы́ло? Когда́?
- С кем Вы там бы́ли?
- Как Вам понра́вилась ба́ня?

3. **Устная работа в парах. На рынке**

Вы нахо́дитесь на ры́нке. Вы задаёте вопро́сы о ра́зном това́ре. Ваш / Ва́ша колле́га игра́ет роль продавца́ и отвеча́ет по образцу́.

- Скажи́те, пожа́луйста, ско́лько сто́ит э́та карти́на?
- Извини́те, я не могу́ прода́ть её вам. Она́ уже́ про́дана.

карти́на
матрёшки
ико́на
самова́р

бана́ны
ры́ба
баклажа́ны
оре́хи

плато́к
ша́пка
сапоги́
ку́ртка

На рынке

4. **Устная работа в парах**

Посмотри́те на фрагме́нт пла́на Ни́жнего Но́вгорода. Обсуди́те, в честь кого́ на́званы у́лицы на пла́не. С по́мощью адапти́рованных отры́вков из Большо́й Энциклопе́дии (стр. 53), расскажи́те о том, кто э́ти лю́ди и чем они́ знамени́ты?

ГОРЬКИЙ Максим (наст. имя и фам. Ал. Макс. Пешков) (1868-1936), рус. писатель, публицист. Родился в Н.Н. (Горьком). Известный пролетарский писатель. В ром. "Мать" (1906-1907) показал нарастание рев. движения в России. В пьесе "На дне" (1902) поставил вопрос о свободе и назначении человека.

ДАЛЬ Вл. Ив. (1801-72), рус. писатель, лексикограф, этнограф, ч.-к. Петерб. АН (1838). Созд. "Толковый словарь русского языка" (т. 1-4, 1863-66), за к-рый удостоен звания поч. акад. Петерб. АН (1863).

ЛУНАЧАРСКИЙ Анат. Вас. (1875-1933), полит. деятель, писатель, акад. АН СССР (1930). Чл. КПСС с 1895. Участник Окт. рев-ции (Петроград). С 1917 нарком просвещения. С 1929 пред. Ученого к-та при ЦИК СССР.

МАРАТ (Marat) Жан Поль (1743-93), фр. рев., один из вождей якобинцев. С сент. 1789 издавал газ. "Друг народа". Вместе с М. Робеспьером руководил подготовкой восст. 31 мая - 2 июня 1793, отнявшего власть у жирондистов. Был убит в ванне.

ПРОКОФЬЕВ Сер. Сер. (1891-1953), композитор, пианист и дирижёр, нар. арт. России (1947). В 1918-33 жил за рубежом. Оперы : "Игрок" (1916), "Любовь к трём апельсинам" (1919) "Огненный ангел" (1927) и др. Балеты “Ромео и Джульетта” (1936), “Золушка (1944) и др.

ЧКАЛОВ Валер. Пав. (1904-38), летчик-испытатель, комбриг (1938), Герой Сов. Союза (1936). Разработал ряд новых фигур высш. пилотажа. В 1937 беспосадочный перелёт Москва - Сев. полюс - Ванкувер (Канада). Погиб при испытании нового самолёта.

5. Составьте диалоги!

а. Ива́н звони́т ра́зным Ки́синым во Влади́мире. На его́ второ́й звоно́к прия́тным го́лосом отвеча́ет молода́я же́нщина.

Иван:
Ива́н спра́шивает, не Людми́ла ли она́.

Женщина:
Женщина отвеча́ет, что – нет. Она́ спра́шивает, что́ и́менно Ива́ну ну́жно.

Иван:
Ива́н смущённо отвеча́ет, что он бизнесме́н из Сара́нска, прие́хал во Влади́мир и в свобо́дное вре́мя хо́чет повида́ться со свое́й знако́мой по и́мени Людми́ла и по фами́лии Ки́сина, с кото́рой он познако́мился в Москве́ четы́ре го́да наза́д.

Женщина:
Же́нщина отвеча́ет, что, хотя́ её зову́т и не Людми́ла, а Ни́на Ки́сина, она́ бы то́же с удово́льствием встре́тилась с ним и они́ могли́ бы вме́сте куда́-нибу́дь ве́чером сходи́ть.

Иван:
Ива́н торопли́во извиня́ется и кладёт тру́бку.

и́менно	-	exactly
смущённо	-	in embarrassment
торопли́во	-	hurriedly

б. Ива́н и стару́шка. Соста́вьте их разгово́р по телефо́ну.

Иван:
Ива́н спра́шивает, нет ли у стару́шки племя́нницы, по и́мени Людми́ла Ки́сина.

Старушка:
Стару́шка отвеча́ет, что - нет, она́ одна́, без ро́дственников, но что она́ по́мнит одну́ Ки́сину, Анастаси́ю, кото́рая ра́ньше жила́ во́зле пивно́го заво́да. У э́той Анастаси́и Ки́синой ещё ро́дственники бы́ли в Москве́.

Иван:
Ива́н спра́шивает об адре́се Анаста́сии Ки́синой.

Старушка:
Стару́шка говори́т, что она́ а́дреса не по́мнит. Она сму́тно по́мнит назва́ние у́лицы, кото́рое свя́зано то ли с и́менем како́го-то полі́тика, то ли революционе́ра.

Иван:
Ива́н благодари́т стару́шку и проща́ется. Стару́шка отвеча́ет: «не за что» и то́же проща́ется.

племя́нница	-	a niece
сму́тно	-	dimly, vaguely
то ли ..., то ли ...	-	perhaps either ..., or perhaps ...

в. Верну́вшись из ба́ни, Ива́н звони́т Пи́теру в Ке́мбридж. Соста́вьте их телефо́нный разгово́р.

Питер:	**Иван:**
Питер снима́ет тру́бку	Алло́!
Пи́тер говори́т, что Ива́н уда́чно заста́л его́ до́ма, поско́льку он то́лько что верну́лся из университе́та.	Ива́н здоро́вается с Пи́тером и говори́т, что он сам то́лько что верну́лся, пра́вда, не из университе́та, а из ба́ни.
Питер соглаша́ется. Он спра́шивает о том, где Ива́н нахо́дится.	Ива́н предлага́ет: «Мо́жет, перейдём на "ты"?».
Пи́тер говори́т, что он давно́ не свя́зывался с Лю́дой и не зна́ет её а́дреса. Весно́й он жени́лся в Ло́ндоне на Ша́рон.	Ива́н объясня́ет, что сейча́с он в Москве́, а ра́ньше был во Влади́мире, где безуспе́шно иска́л Людми́лу. Он спра́шивает у Пи́тера, зна́ет ли тот, где она́ сейча́с живёт.
Пи́тер спра́шивает Ива́на, мо́жет ли тот ему́ помо́чь.	Ива́н поздравля́ет Пи́тера с жени́тьбой.
Пи́тер спра́шивает, зна́ет ли Ива́н ещё кого́-нибу́дь, кто смо́жет оказа́ть по́мощь.	Ива́н говори́т Пи́теру, что получи́л его́ факс и что предложе́ние Пи́тера его́ заинтересова́ло.
	Ива́н отвеча́ет, что, коне́чно, мо́жет, поско́льку оди́н из его́ одностра́нников живёт на Байка́ле и рабо́тает там дире́ктором целлюло́зно-бума́жного комбина́та.
	Ива́н отвеча́ет, что он та́кже знако́м с одни́м ирку́тским тураге́нтом и с замести́телем председа́теля Ирку́тской Ду́мы.

заста́ть	-	to catch, find (someone)
безуспе́шно	-	unsucessfully
свя́зываться с	-	to be in contact with

Приду́майте са́ми возмо́жную реа́кцию Пи́тера на свя́зи Ива́на.
Приду́майте подходя́щую концо́вку для э́того разгово́ра.

6. Пишите!

Напиши́те факс Ива́на Пи́теру. В э́том фа́ксе Ива́н повторя́ет содержа́ние их телефо́нного разгово́ра и пи́шет о том, как он смо́жет помо́чь Пи́теру в прое́кте с англи́йским кре́мом.
Начни́те так:

Дорогой Питер!
После нашего разговора по телефону я решил написать о том, как я смогу помочь тебе ....

УРОК 3 Повторение темы "глаголы движения"

Verbs of motion in Russian

Russian differentiates between different types of movement:

1. movement on a particular occasion or in a particular direction.
2. movement in general, or there and back, or frequent/repeated movement, etc.

To achieve this, verbs of motion have two imperfective infinitives:

Movement in a particular direction:		Movement in general, etc:
идти́	to go on foot	ходи́ть
е́хать	to go by transport	е́здить
бежа́ть	to run	бе́гать
лете́ть	to fly, to go by plane	лета́ть
плыть	to swim, sail	пла́вать
нести́	to carry (on foot)	носи́ть
везти́	to carry (by transport)	вози́ть
вести́	to lead, take someone with you or to drive a car etc.	води́ть

Movement in a particular direction / on a particular occasion:

Бори́с е́дет со мной.	Boris is travelling with me.
Русла́н шёл домо́й.	Ruslan was walking home.
(Remember that шёл / шла / шли is the past tense of идти́)	
Она́ несёт су́мку.	She is carrying a bag.
Мать вела́ сы́на в детса́д.	The mother was taking her son to the nursery.
Мать везла́ сы́на в детса́д.	The mother was taking her son to the nursery. (by transport of some kind, including prams!)

Movement in general, etc:

Борзо́в бе́гал быстре́е всех.	Borzov used to run faster than everyone.
Они́ ча́сто е́здят в Крым.	They often go to the Crimea.
МИГ-31 лета́ет о́чень высоко́.	The MIG-31 flies very high.
Степа́н вчера́ ходи́л на ры́нок?	Did Stepan go to the market yesterday? (and come back again, obviously)

Perfective forms

These verbs all also have perfective infinitives, formed by adding the prefix по- to the first of the two infinitives:

пойти́, пое́хать, побежа́ть, полете́ть, поплы́ть, понести́ etc.

This form with по- indicates the start of the action. пое́хать - "to set off by transport":

Они́ пошли́ домо́й.	They have gone home.
Ми́ша побежа́л.	Misha started running / ran off.

Difficult conjugations

Some of the verbs have unusual conjugations. Here are some of the difficult forms:

идти́	present:	иду́, идёшь, ... иду́т	past: шёл, шла, шло, шли
ходи́ть	present:	хожу́, хо́дишь, ... хо́дят	
е́хать	present:	е́ду, е́дешь, ... е́дут	
е́здить	present:	е́зжу, е́здишь, ... е́здят	
бежа́ть	present:	бегу́, бежи́шь, ... бегу́т	
бе́гать	present:	бе́гаю, ...	(same for пла́вать and лета́ть)
плыть	present:	плыву́, плывёшь, ... плыву́т	
лете́ть	present:	лечу́, лети́шь, ... летя́т	
нести́	present:	несу́, несёшь, ... несу́т	past: нёс, несла́, несло́, несли́
носи́ть	present:	ношу́, но́сишь, ... но́сят	

носи́ть is also used for "to wear regularly" but нести́ is not used for "to be wearing". Use одет в ... instead.

везти́	present:	везу́, везёшь, ... везу́т	past: вёз, везла́, везло́, везли́
вози́ть	present:	вожу́, во́зишь, ... во́зят	
вести́	present:	веду́, ведёшь, ... веду́т	past: вёл, вела́, вело́, вели́
води́ть	present:	вожу́, во́дишь, ... во́дят	

Forms with other prefixes

There are further imperfective and perfective infinitive pairs for all the verbs above, with different prefixes denoting movement in different directions.
By adding a prefix to the "movement in general" infinitive you get an imperfective verb.
By adding a prefix to the "particular direction" infinitive you get a perfective verb:

to fly over, across	перелета́ть / перелете́ть	
to carry out	выноси́ть / вы́нести	

and so on, except that there are certain changes of form to remember:

to go in (by foot)	входи́ть / войти́	(идти́ becomes -(о)йти)
to arrive (by transport)	приезжа́ть / прие́хать	(е́здить becomes -езжать)
to run in	вбега́ть / вбежа́ть	(бе́гать becomes -бега́ть)
to sail out, swim out	выплыва́ть / вы́плыть	(пла́вать becomes -плывать)

The functions of some frequent prefixes and prepositions that follow their use

Prefix	Preposition	Case ending	Meaning
в- (во-)	в / на	+ acc.	going in
вы-	из / с	+ gen.	going out
при-	в / на	+ acc.	arriving
у-	из / с	+ gen.	leaving
до-	до	+ gen.	going up to, reaching
под-	к	+ dat.	approaching
от-	от	+ gen.	going away from
пере-	че́рез	+ acc.	crossing
про-	-	+ acc.	moving a certain distance
про-	ми́мо	+ gen.	going past
про-	че́рез	+ acc.	going through
за-	за	+ acc.	going behind
за-	в / на	+ acc.	stopping off, "popping in"
за-	за	+ instr.	fetching, collecting
за-	к	+ dat.	calling in on
об-	-	+ acc.	going round, avoiding
об-	вокру́г	+ gen.	going round, circumnavigating

Examples:

Они́ входи́ли друг за дру́гом.	They were going in one after the other.
Мы ско́ро вы́едем из го́рода.	We will soon drive out of town.
Она́ принесла́ пельме́ни.	She has brought the pelmeny (on foot).
Она́ привезла́ пельме́ни.	She has brought the pelmeny (by transport).
Пти́ца улете́ла.	The bird has flown.
Они́ подплыва́ли к бе́регу.	They were swimming / sailing towards the bank.
Мы обошли́ все магази́ны.	We have been round all the shops.

Summary

The foreign learner of Russian who is able to master all the intricacies and different nuances and forms of the verbs of motion is a rarity indeed! Concentrate at this stage on understanding the principles and recognising the different forms. When you come across verbs of motion in the text make a note of the reasons for any particular usage. Note the unusual ones. e.g. in the lift : "Поéхали!" means "Let's go!" - by transport of course!

Упражнения

1. Fill in the gaps with appropriate forms of ...
идти / пойти или **ходить**

а. "Смотри́! Ва́ня ____________!"
б. "Как ча́сто Вы ____________ в рестора́н "Храм Луны́"?
в. Ди́ма не ______________ вчера́ в шко́лу.
г. Он ______________ в университе́т сего́дня у́тром и ещё не верну́лся.

ехать / поехать или **ездить**

д. В де́тстве я ____________ на тро́йке ка́ждую зи́му.
е. В э́тот день мы ______________ из Уфы́ в Челя́бинск. Бы́ло о́чень краси́во.
ж. "Па́ша ______________ на да́чу сего́дня и́ли нет?"

лететь / полететь или **летать**

з. - "Вы ча́сто ______________ самолётами Аэрофло́та?"
- "Нет. Сего́дня я ______________ Аэрофло́том пе́рвый раз!"
и. Весно́й гу́си ______________ на се́вер.
к. "Его́ нет. Он ______________ в Пари́ж на неде́лю."

бежать / побежать или **бегать**

л. - "Почему́ ты ____________? Ещё есть вре́мя."
- "Я всегда́ ____________."
м. По́сле конце́рта все де́вушки ______________ за музыка́нтами.

нести / носить

н. "Вот Та́ня! Она́ ____________ письмо́ на по́чту. Она́ ______________ пи́сьма на по́чту почти́ ка́ждый день.

2. Ответьте на вопросы!

а. Вы лю́бите ходи́ть пешко́м? Ско́лько Вы хо́дите ка́ждый день?
б. Как ча́сто Вы е́здите по́ездом / авто́бусом / на маши́не / на велосипе́де?
в. Вы хорошо́ пла́ваете? / Как Вы плава́ли в мо́лодости?
г. Как Вы бе́гаете? / Как Вы бе́гали в мо́лодости?
д. Как ча́сто Вы лета́ете самолётом?
е. На самолётах како́й авиакомпа́нии Вы обы́чно лета́ете?
ж. Каку́ю оде́жду Вы обы́чно но́сите ле́том / зимо́й.
з. Вы во́дите маши́ну? С како́го го́да Вы во́дите маши́ну?
и. Как Вы ду́маете, кто лу́чше во́дит маши́ну, мужчи́ны и́ли же́нщины?

Пото́м зада́йте э́ти вопро́сы други́м студе́нтам Ва́шей гру́ппы.

3. Choose verbs to fill the gaps. Add past tense endings

а. Ма́ша ______________ торт на вечери́нку.
б. Мы ______________ домо́й в по́лночь.
в. Когда́ он ______________ из ко́мнаты он ______________ пря́мо по коридо́ру.
г. Грузови́к ______________ че́рез мост и останови́лся.
д. Роди́тели ______________ сы́на до кла́ссной ко́мнаты.
е. Они́ ______________ Балти́йское мо́ре.
ж. Пти́ца ______________ из окна́.

довести́ - переплы́ть - вы́лететь - принести́ - перее́хать
прие́хать - вы́йти - пойти́

4. Rewrite the same sentences using future perfective verbs

УРОК 4 — Я пойду в армию!

1/38

Людмила и Руслан уже неделю живут в Иркутске у дяди Коли. Будучи свободными от работы и забот, они осмотрели достопримечательности города, купались в реке. Руслан с дядей ходили ловить рыбу и смотрели футбол на стадионе "Труд". Они провели три дня на даче у Людмилиной подруги, собирали смородину, малину и клубнику, и Люда сварила дяде варенье. Вернувшись в Иркутск, они все вместе покрасили дядину прихожую, а над вешалкой в прихожей Руслан даже умудрился нарисовать эмблему города Иркутска. Люда молча посмотрела на рисунок. У мальчика действительно есть способности, но всё-таки не надо рисовать на стенах без разрешения.
Руслан всё спрашивает об экскурсии на Байкал, и Люда пообещала, что они поедут в следующую субботу.

1/39

- Руська, мы купим тебе альбом для рисования, на Байкале сможешь рисовать, сколько хочешь, там столько красивых мест!
- Люда, тебе письмо.
- От кого? Наверное, от Вадима. Да, здесь написано: "Отправитель - Вадим Звонов.

бу́дучи	being (see grammar)	ве́шалка	coat pegs
забо́та	a care	умудря́ться / умудри́ться	to be clever enough to
осма́тривать / осмотре́ть	to look round	рисова́ть / на-	to draw, paint
купа́ться / ис-	to bathe	рису́нок	drawing
сморо́дина	currants	спосо́бность (f.)	ability
мали́на	raspberries	разреше́ние	permission
клубни́ка	strawberries	обеща́ть / по-	to promise
вари́ть / с-	to cook (boil)	рисова́ние	painting
кра́сить / по-	to paint	отправи́тель	sender
прихо́жая	hall (of a flat or house)		

1/40

Милая Людочка!
Думаю о тебе часто. Прошу прощения, что давно не звонил и не писал тебе. Зная, что ты живёшь у дяди Коли, я решил написать тебе на его адрес. Я не знаю, сколько ты будешь в Иркутске, но я тоже скоро туда поеду.
У меня новый контракт на документальный фильм. Короче говоря, фильм будет о загрязнении озера Байкал и о влиянии этого ужасного целлюлозно-бумажного комбината на окружающую среду.
Я прилечу в Иркутск 15-ого июня и трое суток буду жить в гостинице „Ангара".
За это время я должен договориться о встречах с директорами заводов и с представителями разных организаций.
Надеюсь, что мы сможем встретиться.
Позвони в гостиницу.
До скорой встречи.
Целую.
Вадим

1/41

Людмила читает письмо с едва скрытым удивлением. Ей непонятно, зачем Вадим решил приехать в Иркутск. Они ведь договорились больше не встречаться, и она не ожидала письма от него.
Она спрашивает дядю:
- Сколько шло письмо?
- Две недели.
- Да, значит, он уже здесь. Почему он не звонил? Сегодня 17-ое. Он пишет, что приедет 15-го. Да, он уже здесь. Что мне делать? ... Дядя, если он позвонит, скажи, что меня здесь уже нет.
- Хорошо, а если он захочет узнать подробности? Что я ему скажу?
- Ты сможешь что-нибудь придумать. Скажи, например, что мы поехали на экскурсию на Байкал и что ты не знаешь, когда мы приедем. Пусть он напишет мне письмо.

проще́ние	forgiveness	представи́тель	representative
документа́льный	documentary	целова́ть / по-	to kiss
коро́че говоря́	in short	едва́	hardly, scarcely
загрязне́ние	pollution	скры́тый	hidden
влия́ние	influence	удивле́ние	surprise
окружа́ющая среда́	the environment	подро́бность (f.)	detail
целлюло́зный	cellulose	приду́мывать / приду́мать	to think up
су́тки	24 hours	Пусть ...	Let ... (see grammar)

1/42

Каждые два дня Руслан ездил на рынок за продуктами и погулял по центру города. Сегодня он купил хлеб, рыбу, яблоки и орехи и на обратном пути долго смотрел на роту молодых солдат, которые маршировали по площади Кирова, рядом с Вечным огнём, где до сих пор лежали цветы со дня праздника Победы.

Вернувшись домой, он заявил маме то, чего ей очень не хотелось от него услышать.
- Мама, когда я окончу школу, я пойду в армию.
- Ни в коем случае! - ответила Люда. У её подруги Тамары старший сын погиб в Чечне, и Люде очень хотелось, чтобы Руслан смог избежать воинской повинности. Каждую неделю в газетах можно было прочитать о том, как какая-то мама ищет своего пропавшего без вести сына. Люде надо будет убедить Руслана в том, что ему лучше дальше учиться или заниматься какой-либо социальной работой, чтобы не служить в армии. Конечно, можно было бы найти врача, который подпишет справку о непригодности к военной службе, но это всегда рискованно.
- Руслан, послушай, - продолжила она - перестань даже думать об этом! Ещё рано! Не надо маму расстраивать!

оре́х	nut	риско́ванно	risky
ро́та	company (military)	продолжа́ть / продо́лжить	to continue
марширова́ть	to march	расстра́ивать / расстро́ить	to upset
Ве́чный ого́нь	the Eternal Flame		
ого́нь (m.)	fire		
заявля́ть / заяви́ть	to declare		
Ни в ко́ем слу́чае!	Not in any circumstances!		
избега́ть / избежа́ть	to avoid		
во́инская пови́нность	conscription		
пропа́сть (perf.)	to be lost		
весть (f.)	piece of news, information		
убежда́ть / убеди́ть	to convince		
подпи́сывать / подписа́ть	to sign		
спра́вка	a certificate		
неприго́дность	unsuitability		

Дядя Коля подошёл к Руслану и молча погладил его по голове. В молодости он сам служил в армии и теперь хотел поддержать Люду, но, зная характер Руслана, чувствовал, что мальчика будет трудно переубедить. Бывший учитель прекрасно разбирался в детской психологии. Надо будет завоевать его доверие, а уже потом давать советы. “Я с ним поговорю во время рыбалки”, - решил дядя Коля.

 1/43

гла́дить / по-	to stroke
переубежда́ть / переубеди́ть	to make someone change their mind
разбира́ться / разобра́ться	to understand
завоёвывать / завоева́ть	to earn (not money)
дове́рие	trust
сове́т	advice / union / board
рыба́лка	fishing trip

Руслану уже надоело ждать экскурсии на Байкал. На следующий день, ничего не сказав матери, он решил сам поехать на пристань, чтобы узнать о рейсах. Вообразите, как он расстроился, увидев объявление об изменениях в расписании.
Приехав домой в слезах, он рассказал об этом матери. Люда успокоила его.

 1/44

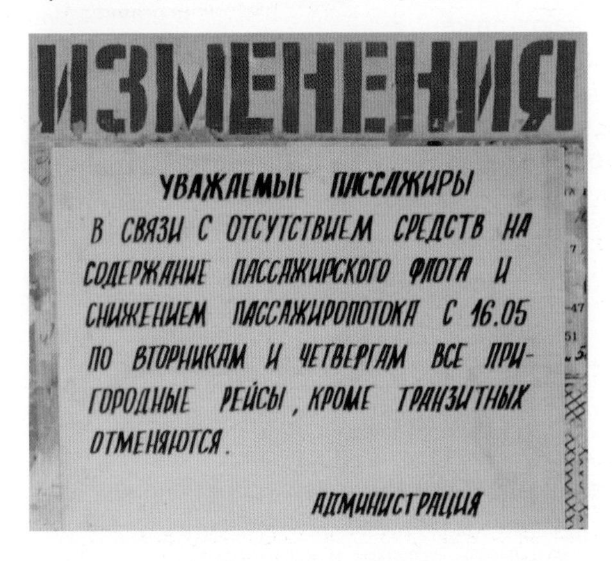

- Руська, не плачь! Это, наверное, касается только речных рейсов. Не расстраивайся! Я завтра же куплю билеты на экскурсию на Байкал.

надоеда́ть / надое́сть	to bore
ему надое́ло	he was fed up with
при́стань (f.)	quay
воображ́ать / -зи́ть	to imagine
объявле́ние	a notice
измене́ние	alteration
отсу́тствие	absence
сре́дство	resource / cure
содержа́ние	maintenance / contents
сниже́ние	lessening
пассажиропото́к	passenger flow
отменя́ться / -и́ться	to be cancelled
слеза́	a tear
успока́ивать / успоко́ить	to calm down
пла́кать / по-	to cry
каса́ться (+ gen.)	to be about, to refer to

1/45
Речной транспорт в России

Речной транспорт очень важен для РФ, особенно в труднодоступных районах Сибири и Крайнего Севера, где нет железных дорог и мало автомобильных. Большие реки, такие как Волга, Обь, Енисей и Лена, являются транспортными артериями страны - по ним перевозится большое количество грузов и пассажиров.

Навигация начинается весной, когда ледоход открывает дорогу, и заканчивается поздней осенью, когда начинают замерзать реки. Например, в Якутии (Республика Саха) на реке Лена навигация начинается в середине мая и заканчивается в октябре. За это время в речные порты завозятся запасы на всю зиму. Далее из портов грузы развозятся машинами по всей республике.

В Европейской части РФ есть и грузовые, и экскурсионные маршруты, например, по Волге, Дону, Каме. Многие реки соединены каналами, например, есть Волго-Донской канал, Беломорканал. Большие шлюзы пропускают даже морские суда и баржи, и водный транспорт играет большую роль в экономике страны. Москву называют портом семи морей, т.к. реки и каналы соединяют Москву с семью морями.

www

На Волге. Перевозка нефти

Guess the meanings:	перевози́ться	замерза́ть	соединя́ть
труднодосту́пный	коли́чество	середи́на	шлю́зы
Кра́йний Се́вер	груз	запа́с	су́дно
арте́рия	навига́ция	грузово́й	ба́ржа

Вопросы

1. Почему́ во́дный тра́нспорт в РФ важне́е, чем во мно́гих други́х стра́нах?
2. Назови́те три больши́е реки́ в европе́йской ча́сти РФ и три - за Ура́лом.
3. Опиши́те, какова́ роль шлю́зов.
4. Узна́йте, с каки́ми моря́ми Москва́ соединена́ ре́ками и кана́лами.
5. *Вставьте слова:*
   Ледохо́д - э́то ________, когда́ ___ на _____ начина́ет _______, лома́ется и плывёт вниз по __________.

   лёд - проце́сс - река́ - тече́ние - та́ять

1/46
Футбол в Сибири. Футзал

Из-за жестокого сибирского климата в футбол можно играть только несколько месяцев в году. Поэтому нет команд, способных стать чемпионами России. Проводится отдельный чемпионат Сибири и Дальнего Востока. Наиболее известные команды - это “Металлург” - Красноярск, “Звезда” - Иркутск, “Чкаловец” - Новосибирск. В Новосибирске за 1 млн. долларов постелили единственный за Уралом искусственный газон. Распространён футбол в залах - футзал. Команда “Импульс” г. Якутска - обладатель кубка кубков европейских стран 2002 года по футзалу.

1/47
Ягоды, фрукты, овощи и грибы

В Росси́и существу́ет да́вняя тради́ция собира́ть в лесу́ я́годы и грибы́ и выра́щивать мно́го ра́зных овоще́й и фру́ктов. На́ зиму консерви́руют большо́е коли́чество проду́ктов в стекля́нных ба́нках. Обрати́те внима́ние, что в ру́сском языке́ “я́года” (наприме́р, клубни́ка) - э́то не “фрукт”!

Войны в истории России

В истории России и Советского Союза был целый ряд войн и военных конфликтов. В ранний период русского княжества были войны со шведами на севере и были казачьи бунты на юге, также были походы на территории сибирских народов. Здесь приводится список некоторых известных конфронтаций с начала 19-го века:

Война с Наполеоном	1812 - 1814
Крымская война	1855 - 1856
Русско-японская война	1904 - 1905
Первая мировая война	1914 - 1917
Гражданская война	1918 - 1920
Советско-финская война	1939 - 1940
Великая Отечественная война	1941 - 1945
Холодная война	1945 - 1989
Подавление народных восстаний в Венгрии	1956
и в Чехословакии	1968
Война в Афганистане	1979 - 1989
Война в Чечне	1994 - 1996
и	1999 -
Конфронтация с Грузией	2008 -

Слушайте и пишите!

1/48

Прослу́шайте разгово́р с Никола́ем Липа́товым :

1. О каки́х конфли́ктах в спи́ске он ничего́ не говори́т?
2. Найди́те сле́дующие слова́ и выраже́ния:

together with her allies - the presence of a foreign army - to retreat - came to the help of - the war began with an unexpected attack - without a declaration of war - Russia was forced - an ultimatum - a revolution took place - a separate peace - it (the war) started later - which suited Germany - Soviet troops - from the end of the Second World War - to keep Socialism - they were invited - not by all the people - the idependence of Chechnya - explosions on the roads

3. Напиши́те не́сколько слов о причи́нах войн и конфли́ктов из да́нного спи́ска.
4. В каки́х из э́тих конфли́ктов принима́ла уча́стие и Ва́ша страна́:
   а. на стороне́ Росси́и / СССР?
   б. про́тив Росси́и / СССР?

1/49

Памятник Маршалу Жукову на Манежной площади в Москве

День Победы

День Победы, 9 мая - государственный праздник победы Советского Союза над фашистской Германией в Великой Отечественной войне. В этот день проходят парады на Красной площади в Москве и в других крупных городах. Обычно люди кладут венки и цветы на могилу неизвестного солдата или у памятника павшим.

Во время Великой Отечественной войны СССР потерял более 27 миллионов человек.

Для большей практики по этой теме, смотрите CD-ROM Руслана “СССР во время Второй Мировой войны”.

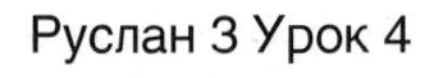

1/50 **Военная служба**

В России все граждане мужского пола обязаны пройти службу в армии, за исключением непригодных к военной службе.

Призывной возраст - с 18 до 27 лет. Срок службы - два года или три года на флоте. Студентам даётся отсрочка на время учёбы.

В 2002 году была введена альтернативная служба для тех, кто по религиозным или пацифистским причинам не может держать оружие в руках, но это очень трудно доказать призывной комиссии. Срок службы альтернативщиков - три с половиной года. Они либо занимаются социальной работой, либо в армии выполняют только невоенные обязанности.

Многие стараются избежать военной службы из-за опасностей и плохих условий, с которыми можно столкнуться в армии. У призывников выбора практически нет - они обязаны пойти туда, куда их пошлют, будь то Чечня или китайская граница.

Find the words:
citizens
gender
obliged
with the exception
unsuitable person
age
length of service
navy
postponement
study
pacifist reasons
a weapon
to prove
social work
undertake
duties
dangers
conditions
to come across
a conscript
choice
frontier

Вставьте слова!

"Альтернати́вщик" - э́то молодо́й ___________, кото́рый по _______________ и́ли _________________ причи́нам хо́чет _______________ вое́нной ______________.

пацифи́стский - религио́зный
слу́жба - челове́к - избежа́ть

"Комите́т солда́тских ___________" - э́то организа́ция, кото́рая ___________ ___________ призывнико́в и ___________ и помога́ет матеря́м найти́ свои́х пропа́вших бе́з вести __________.

мать - солда́ты - сын
пра́во - защища́ть

Темы для дискуссии

1. Объясни́те ра́зницу ме́жду значе́ниями "Втора́я Мирова́я война́" и "Вели́кая Оте́чественная война́".
2. Обсуди́те вопро́с о том, должны́ ли мы забы́ть о поте́рях во Второ́й Мирово́й войне́. Ду́маете ли Вы, что пара́ды в день Побе́ды бу́дут продолжа́ться, когда́ не оста́нется в живы́х ни одного́ ветера́на?
3. Чем отлича́ется вое́нная слу́жба в Ва́шей стране́ от вое́нной слу́жбы в Росси́и?

Памятник Василию Тёркину в Смоленске

М.Ю. Лермонтов - "Завещание"

Listen to the poem and fill in the gaps. 1/51

Наедине с тобою, брат,
Хотел бы я ___________:
На свете мало, говорят,
Мне остаётся ___________!
Поедешь скоро ты домой;
Смотри ж... Да что? Моей ___________,
___________ по правде, очень
Никто не озабочен.

А если _________ кто-нибудь...
Ну, кто бы ни спросил,
Скажи им, что навылет в грудь
Я _________ ранен был;
Что умер честно за _________,
Что плохи наши лекаря
И что родному краю
Поклон я ___________.

Отца и мать мою едва ль
Застанешь ты в живых...
Признаться, право, было б _________
Мне опечалить их;
Но если кто из них и ________,
Скажи, что я писать _________,
Что полк в поход послали,
И чтоб меня не ________.

Соседка есть у них ________,
Как вспомнишь, как давно
Расстались!.. Обо мне она
Не ___________... всё равно,
Ты расскажи всю правду ей,
Пустого _________ не жалей;
Пускай она поплачет...
Ей ничего не значит!

1840г.

Словарь

завеща́ние	testament
на све́те	in the world
судьба́	fate
озабо́чен	concerned
навы́лет	right through
пу́ля	bullet
ра́неный	wounded
че́стный	honest
ле́карь	doctor (archaic)
край	land
покло́н	greeting, regards
едва́ ли	scarcely
заста́ть	to find
призна́ться	I must confess
опеча́лить	to sadden
лени́вый	lazy
полк	regiment
похо́д	a campaign
расста́ться	to part
жале́ть	to pity

М.Ю.Лермонтов. Автопортрет

Михаил Юрьевич Лермонтов (1814-1841)
М.Ю.Лермонтов, романтический поэт 19-го века, художник, служил в царской армии. Он один из самых любимых поэтов в России. Лермонтов написал резко-критическое стихотворение на смерть Пушкина и в результате был сослан на Кавказ. Лермонтов был убит на дуэли в возрасте 27 лет.

 1/52

Константин Симонов

Listen to the poem and fill in the gaps.

В.С.

Жди меня, и я __________.
Только очень жди ...
Жди, когда наводят грусть
Жёлтые __________,
Жди, когда __________ метут,
Жди, когда жара,
Жди, когда других не ____________,
Позабыв вчера.
Жди, когда из дальних ____________
Писем не придёт,
Жди, когда уж надоест
Всем, ______ ___________ _________.

Жди меня, и я __________,
Не желай добра
Всем, кто знает наизусть,
Что ____________ __________.
Пусть поверят _________ ___ __________
В то, что нет меня,
Пусть друзья устанут ждать,
Сядут у ___________,
Выпьют горькое вино
На помин души ...
Жди. И с ними заодно
Выпить не спеши.

Жди меня, и я __________
Всем ______________ назло.
Кто не ждал меня, тот пусть
____________: "Повезло."
Не понять не ждавшим им,
Как среди _____________
_________________ своим
Ты _____________ меня.
Как я _____________, будем знать
Только мы с тобой, -
Просто ты _____________ ждать,
Как ____________ ______________.

1941г.

Словарь

наводи́ть / навести́	to bring on
грусть (f.)	sadness
мета́ть	to sweep
жара́	a heat wave
Не жела́й добра́	Don't wish well
наизу́сть	by heart
устава́ть / уста́ть	to get tired
вы́пить го́рькое вино́	to drink bitter wine (vodka)
на поми́н души́	to the memory
заодно́	along with them
назло́	to spite

Константин Симонов (1915-1979)
Популярный романист и поэт, военный корреспондент, во время В.О.В. Симонов писал патриотические и романтические стихотворения.

Роберт Рождественский. "Реквием"

Listen to the poem and fill in the gaps. 1/53

Посвящение:

Памяти наших __________ и ____________ __________, памяти вечно молодых ____________ и ___________ Советской Армии, павших на фронтах Великой Отечественной войны.

Отрывки из поэмы:

Вечная слава ______________!
Слава ____________!
Слава!
... Но зачем она им, эта слава, -
_____________?
Для чего она им, эта слава, -
_____________?
Всё живое - спасшим,
Себя - не спасшим.

Чёрный камень,
Чёрный камень,
Что ж ____________ ты, чёрный камень?
Разве ты ____________ такого?
Разве ты ____________ когда-то
Стать надгробьем
для могилы
Неизвестного солдата?

Но когда-то,
Но когда-то
Кто-то в мире помнил имя
_______________ _______________.
Ведь ещё до самой _____________
Он имел _____________ немало.
Ведь ещё живёт на свете
Очень старенькая _____________.
Умирал солдат _______________.
Умер - неизвестным.

Слушайте!
Это мы _____________,
Мёртвые. Мы.
Слушайте!
Это мы говорим,
_____________,
Из тьмы.
Мы забыли, как пахнут ______________,
Как цветут тополя.
Мы и ______________ забыли.
Какой она стала, земля?

Словарь

посвящéние	dedication
пáмяти	in memory of
вéчно	eternally
стáрший	elder
пáвший	fallen
вéчный	eternal
слáва	glory
мёртвый	dead
спáсший	having saved
кáмень (m.)	a stone
молчáть	to be silent
мечтáть	to dream
надгрóбье	gravestone
имéть	to possess
на свéте	in the world
тьма	the darkness
пáхнуть	to smell
тóполь (m.)	a poplar

Как там птицы?
____________ на ____________, без нас?
Как черешни?
Цветут на земле, без нас?
Как светлеет ___________
И летят ___________
Над ними, без нас?
Мы забыли __________.
Мы забыли ___________ давно.
Нам шагать по земле не дано.
Никогда не дано.

Не плачьте!
В горле сдержите стоны,
Горькие стоны.
Памяти ________ будьте достойны!
Вечно достойны!
_________ и __________,
_________ и __________,
___________ просторной,
Каждой ____________,
Каждым ____________,
Будьте достойны!
Люди!
Пока ____________ стучатся, -
Помните
Какою ___________ завоёвано счастье!

1962 г.

Словарь

пти́ца	bird
чере́шня	cherry tree
цвести́	to bloom
светле́ть	to shine
о́блако	cloud
трава́	grass
де́рево	tree
шага́ть	to walk
го́рло	throat
сдержа́ть	to hold back
сто́ны	weeping
го́рький	bitter
досто́ин	worthy
мечта́	dream
стихи́	verses
просто́рный	vast
стуча́ться	to beat
дыха́ние	breath
цена́	price
завоева́ть	to fight for and win something

Для полной версии поэмы см.: www.ruslan.co.uk/ruslan3.htm

Роберт Рождественский (1932-1994)
В советский период Рождественский был популярным поэтом, и многие известные песни о войне написаны на его слова. В своих стихах он часто затрагивал социальные проблемы советской действительности. Его поэму "Ре́квием" часто читают в День Победы.

Тема для дискуссии

Како́е из трёх стихотворе́ний Вам бо́льше нра́вится и почему́?

Для другой поэзии о войне смотрите:

М.Ю.Лермонтов, "Бородино" - война с Наполеоном.
М. Алигер, "Весна в Ленинграде" - блокада Ленинграда.
А. Твардовский, "Василий Тёркин" - Великая Отечественная война.

Present gerunds

These are fomed by adding -я (-а after ж, ч, ш or щ) to the present tense stem of the verb.

читáя - reading   люб́я - loving
держá - holding

Знáя, что ты живёшь у дя́ди... - Knowing that you are living at uncle's ...

The present gerund is rarely used in speech, except in certain set phrases:

коро́че говоря́ - in short   включáя - including
благодаря́ - thanks to   не спешá - without hurrying
мóлча - silently

The present gerund of быть - "to be" is:

бу́дучи - being

бу́дучи is normally followed by the instrumental:

Как зарабо́тать деньги, бу́дучи лени́вым?
How can one earn money if one is lazy?

Они собирали смородину, ...
- They picked currants ...

Words for berries - сморо́дина, мали́на, клубни́ка и т.д. - are used in the singular only:

Он лю́бит крыжо́вник. He loves gooseberries.
ведро́ мали́ны - a bucket of raspberries
Марк собирáет крáсную сморо́дину.
Mark is picking redcurrants.

Покрасили у дяди Коли прихожую. They painted uncle Kolya's hall.

A number of nouns have forms that decline as adjectives. Sometimes a noun is understood. Examples are:

рабо́чий, учёный, знако́мый - worker, scientist, acquaintance
вáнная, гости́ная, столо́вая, прихо́жая - bathroom, lounge, dining room, hall
живо́тное, насеко́мое - animal, insect
шампáнское, моро́женое - champagne, ice-cream
про́шлое, настоя́щее, бу́дущее - past, present, future
существи́тельное, прилагáтельное - noun, adjective
стáрое и но́вое - the old and the new
чаевы́е - a tip / tips (money for tea!)
лёгкие - lungs
дáнные - data
нали́чные (colloquial) - cash
выходно́й, прохо́жий, свято́й - day off, passer-by, Saint

Past active participles decline

In lesson 1 you met past active participles in the nominative case. These decline as adjectives, agreeing in gender, number and case with the noun that they qualify:

Мáма и́щет своего́ пропáвшего бéз вести сы́на.
A mother is looking for her son, lost without trace.

за это время - during that time

за is used with the accusative to render "during" or "within" a period of time.

Он пробежáл марафо́н за три часá. He ran the marathon in three hours.

Трое суток буду жить в гостинице "Ангара".
I shall be staying in the hotel "Angara" for three days.
су́тки is a plural noun that means "a day" in the sense of "24 hours".
Use су́тки for "a day" when you are booking a hotel, etc.

Nouns that have only plural forms use одни́ for "one" and use collective numerals for numbers up to seven or eight:

одни́ часы́ - one watch / clock
одни́ су́тки - one day (24 hours)
двóе са́нок - two sledges
чéтверо детéй - four children
сéмеро козля́т - seven little goats

For "paired" objects you can use a construction with пара:

две па́ры штанóв - two pairs of trousers
три па́ры нóжниц - three pairs of scissors

Note: четы́ре часа́ - four o'clock, four hours
чéтверо часóв - four watches / clocks

Сколько шло письмо? How long did the letter take?
идти́ is used for "to take to get there" with letters and parcels.

Пусть он напишет мне письмо. He can write me a letter.
Пусть ... translates "Let ..." in English, but is more common in everyday speech.
Пуска́й ... is similar and more forceful, and less frequently used.

Пусть он мне перезвони́т. He can ring me back.
Пуска́й он сюда́ бóльше не прихóдит! Don't let him come here again!

каждые два дня - every two days
When ка́ждый qualifies a number it declines in the plural.

Прошу прощения. I ask forgiveness.
Several verbs that take the accusative case when the object is something specific, take the genitive instead when the object is something more general. Compare:

Он ждёт результа́та.
Он ждёт автóбус нóмер шесть.

Verbs that behave like this include: иска́ть, ждать, ожида́ть, проси́ть, хотéть:

Они́ и́щут сча́стья. They are looking for happiness.

Some verbs always take the genitive, for example желать and бояться:

Жела́ю тебé успéхов. I wish you success.
Она́ бои́тся высоты́. She is afraid of heights.

Note that in set phrases жела́ть is usually omitted:

Спокóйной нóчи! Good night!
Всегó вам дóброго! All the best to you!
Уда́чи тебé! Good luck to you!

Он купил яблоки. He bought apples.
я́блоко - an apple - has the irregular nominative plural я́блоки.

рота молодых солдат - a company of young soldiers
солда́т has the irregular genitive plural солда́т. Similar examples:

партиза́н - мнóго партиза́н
глаз, вóлос - мнóго волóс
сапóг, носóк - мнóго сапóг, мнóго носóк
(носóк also has the colloquial genitive plural носкóв)

Перестань даже думать об этом!   Stop even thinking about that!
перестáть, встать and вéрить are examples of verbs that form the imperative by adding -ь to the stem of the future or present tense:

перестáть	-	я перестáну	-	Перестáнь(-те)	-	Stop it!
встать	-	я встáну	-	Встáнь(-те)	-	Get up!
вéрить	-	я вéрю	-	Вéрь(те)! мне	-	Believe me!

Руслану надоело ждать.   Ruslan was fed up with waiting.
надоéсть is used impersonally and takes the dative case

Мне надоéла рýсская граммáтика!   I am fed up with Russian grammar!

объявление об изменениях - an announcement about changes
Many nouns in -ие are derived from verbs.

объявлéние is from объявля́ть /объяви́ть - "to announce".
изменéние is from изменя́ть / измени́ть - "to change".

Find 7 more nouns in -ие in this lesson and work out which verbs they are derived from.

Приехав домой в слезáх, ...   Having come home in tears, ...
слезá - "a tear" - has a stress change in the plural declension:

слёзы, слёзы, слёз, слезáм, слезáми, в слезáх

Руська, не плачь!   Rus'ka, don't cry!
плáкать - "to cry" - has the stem плач-

Онá плáчет кáждый день.   She cries every day

Hence the imperative: Не плáчь(те)!

плакать - "to cry" - has different perfective forms:

поплáкать - to cry for a while   заплáкать - to start crying

Это касается только речных рейсов.   It affects only river journeys.
касáться - "to affect, concern" - takes the genitive case.

Это вас не касáется!   That is no concern of yours!

судно - a boat, vessel
сýдно - "a boat, vessel" - has the irregular nominative plural судá.

Упражнения

1. Вопросы к тексту

а. Как Лю́да и Руслáн провели́ пéрвую недéлю в Иркýтске? Как вы дýмаете, что бóльше всегó понрáвилось Руслáну?
б. Как Лю́да отреаги́ровала на рисýнок Руслáна?
в. Как Лю́да отреаги́ровала на письмó Вади́ма?
г. За каки́ми продýктами Руслáн ходи́л на ры́нок?
д. Почемý Лю́да не хóчет, чтóбы её сын стал солдáтом?
е. Как мóжно избежáть вóинской пови́нности?
ж. Откýда у дя́ди Кóли хорóшее знáние дéтской психолóгии?
з. Чегó Руслáн не понимáл, когдá уви́дел объявлéние об изменéниях в рéйсах?
и. Почемý он плáкал?
к. Как Лю́да смоглá егó утéшить?
л. Как измени́лось расписáние рéйсов?

2. Combine the sentences, as in the example:

Я зна́ю, что он там. Поэ́тому я реши́л не е́хать туда́.

\- Зна́я, что он там, я реши́л не е́хать туда́.

а. Я чита́ю э́тот журна́л ка́ждую неде́лю. Поэ́тому я на́чал понима́ть ситуа́цию в стране́.
б. Я о́чень люблю́ его́ му́зыку. Поэ́тому я реши́л пойти́ на его́ конце́рт.
в. Когда́ он говори́л э́то, он знал, что ты не придёшь.
г. Они́ ча́сто слу́шают радиоста́нцию "Эхо Москвы́". Поэ́тому они́ на́чали хорошо́ понима́ть по-ру́сски.
д. Он че́стный челове́к. Поэ́тому он пошёл по кра́сному коридо́ру.

3. Use words that make sense, change the endings as necessary

а. Принеси́те буты́лку ________________!
б. У нас то́лько ку́хня и гости́ная. Нет ____________.
в. Он побри́лся в ______________.
г. Я хочу́ фру́кты с ______________.
д. В зоопа́рке все ______________ спят.
е. Она́ бои́тся не то́лько комаро́в. Она́ бои́тся всех ______________.
ж. Забу́дь его́! На́до ду́мать о ______________.
з. Это Ни́на Андре́евна, моя́ ______________!
и. Парикма́хер рабо́тает в ______________.
к. Она́ купи́ла хлеб в ______________.
л. Пельме́ни продаю́тся в ______________.
м. ______________ хотя́т пойти́ в о́тпуск.
н. Все официа́нты лю́бят ____________.

ва́нная - парикма́херская
столо́вая - бу́дущее
знако́мый - рабо́чий
пельме́нная - чаевы́е
бу́лочная - насеко́мое
живо́тное - шампа́нское
моро́женое

4. Fill the gaps with в or на plus a word from the list to make sense, changing the endings if needed

а. Они́ сня́ли пальто́ ______________.
б. Мы купа́лись ______________.
в. Друзья́ смотре́ли хокке́й ______________.
г. Это бу́дет не за́втра, а ______________.
д. Она́ написа́ла об э́том ______________.
е. Колле́ги пое́хали ______________ на Байка́л.
ж. Он купи́л фру́кты ______________.

письмо́ - о́зеро - прихо́жая - среда́ - ры́нок - экску́рсия - стадио́н

5. Use the words in brackets to complete the sentences, with the genitive or accusative ending as appropriate

а. Мы ждём ________________ проблéмы. (решéние)
б. Я жду ________________. (сестрá)
в. Онá прóсит ________________. (квитáнция)
г. Мы прóсим ________________. (прощéние)
д. Все хотя́т ________________. (мир)
е. Он бойтся ________________. (банкрóтство)
ж. Это не касáется ________________. (ваш контрáкт)
з. Я не боюсь ________________. (высотá)

6. Choose verbs to fill the gaps. Add present tense endings

а. Онá хорошó ________________.
б. Он лю́бит ________________ в вáнне.
в. Солдáты ________________ в цéнтре гóрода.
г. Почемý вы ________________ меня́?
д. Бухгáлтер ________________ все чéки сам.
е. Рабóта ________________.

купáться - плáвать - продолжáться - маршировáть - подпи́сывать - избегáть

7. Choose verbs to fill the gaps. Add past tense endings

а. Он ________________ весь дом.
б. Шкóльники ________________ мультфи́льм.

посмотрéть
осмотрéть

в. Они́ ________________ стéны в бéлый цвет.
г. Кóстя ________________ кóшку.

покрáсить
нарисовáть

д. Они́ ________________ дáчу.
е. Эта нóвость её си́льно ________________.

пострóить
расстрóить

ж. Мы ________________ за автóбусом.
з. Они́ ________________ встрéчи с полицéйскими.
и. Он ________________ ýлицу.
к. Ветерáн ________________ до фи́ниша.

добежáть
избежáть
побежáть
перебежáть

8. Ответьте по образцу

Дáша хóчет послýшать концéрт. *Пусть послýшает!*

а. Вáши коллéги хотя́т ещё подождáть. ________________
б. Води́тель хóчет отдохнýть. ________________
в. Вéра хóчет написáть емý письмó. ________________
г. Моя́ мать хóчет поéхать. ________________
д. Дéти хотя́т попи́ть квáса. ________________
е. Дед хóчет навести́ть внýка. ________________
ж. Мáша хóчет посмотрéть на рисýнок. ________________
з. Мой муж хóчет купи́ть сáуну. ________________
и. Они́ хотя́т побы́ть наединé. ________________

Языковая практика

1. Устная работа в группе

Расскажи́те о письме́ (или о посы́лке, бандеро́ли), кото́рое Вы посла́ли кому́-нибудь и кото́рое о́чень до́лго не доходи́ло и́ли о́чень бы́стро дошло́ до него́.
Кому́ Вы писа́ли? О чём?
Когда́ Вы отпра́вили письмо́?
Когда́ Ваш друг его́ получи́л?
Ско́лько дней (неде́ль / ме́сяцев) шло письмо́?

В гру́ппе, реши́те, кто из Вас столкну́лся с са́мым плохи́м / хоро́шим почто́вым обслу́живанием.

2. Устная работа в группе

Зада́йте вопро́сы и расскажи́те друг дру́гу о том, что Вы хоти́те сде́лать (и́ли что Вы хоте́ли сде́лать) ...
- когда́ Вы око́нчите (око́нчили) шко́лу
- когда́ Вы око́нчите (око́нчили) университе́т / те́хникум / ко́лледж и т.д.
- когда́ Вы пойдёте (пошли́) на пе́нсию.

Расскажи́те та́кже о каки́х-либо други́х пла́нах на бу́дущее, кото́рые у Вас есть и́ли когда́-либо бы́ли.

3. Устная работа в парах.

Зада́йте вопро́сы и расскажи́те друг дру́гу о том, каки́е у Вас ко́мнаты в до́ме и́ли в кварти́ре.
- Ско́лько у Вас в до́ме и́ли в кварти́ре ко́мнат?
- У Вас больши́е ко́мнаты, ма́ленькие?
- Кака́я у Вас ку́хня, гости́ная, столо́вая и т.д.?
- Кака́я у Вас ме́бель в ко́мнатах?
- Чем Вы занима́етесь до́ма в ра́зных ко́мнатах?

4. Пишите!

Пригото́вьте рекла́му о до́ме и́ли о кварти́ре, кото́рый / кото́рую Вы хоти́те прода́ть. (Фотогра́фия до́ма и́ли кварти́ры помо́жет Вам в э́том упражне́нии).

Напиши́те о том, в како́м райо́не он/она́ нахо́дится, на како́м этаже́, в како́м до́ме, ско́лько комна́т, о́бщая пло́щадь до́ма / кварти́ры / отде́льных ко́мнат, кто сосе́ди, далеко́ и́ли нет до городско́го тра́нспорта и т.д.

Напиши́те о том, каки́е преиму́щества есть у э́того до́ма / э́той кварти́ры и почему́ Вы его́ / её лю́бите.

преиму́щество - an advantage
прода́м - I will sell

Для поиска примеров рекламного материала используйте сайт <www.google.ru>. Ключевые слова: "Продам квартиру"

5. Устная работа в группе

По́сле прове́рки рекла́мы (упр.4) преподава́телем, покажи́те (разреклами́руйте) её други́м студе́нтам с наме́рением прода́ть им э́тот дом и́ли э́ту кварти́ру.

6. Условные единицы

1/54

Российская денежная единица - рубль. Оплата в иностранной валюте запрещена. Во многих местах цены на товары и услуги обозначены в "у. е." - условных единицах. Одна "у.е." равна одному доллару. (1 у.е. = 1$ США).

Хотя цена написана в "у.е.", что равнозначно - в долларах США, платить долларами вы не можете. Надо спросить у продавца, сколько это будет в рублях, затем поменять доллары США на рубли и заплатить. В больших магазинах обменный пункт находится рядом. Продавец, переводя цену из у.е. в рубли, берёт самый высокий курс $ США, а обменный пункт принимает $ США - по самому низкому. Таким образом, за вещь стоимостью в 100 у.е. вы заплатите порядка 110 $ США !

The Russian monetary unit is the rouble. _________ in foreign currency is _________. In many places the prices of ___________ and ___________ are indicated in "y.e" - relative units. One "y.e" is ___________ to one US dollar.

Although the price is _____________ in "y.e", which is the same as US dollars, you may not pay in dollars. You have to ask the ____________ how much it will be in roubles and then change US dollars to roubles and pay. In large shops the exchange point ____________ close by. The salesperson, when _____________ the price from "y.e" to roubles, uses the ____________ exchange rate of the US dollar, but the exchange point takes US dollars at the ____________ rate. In this way for an item with a price of 100 "y.e." you _____ ______ in the region of 110$ US!

www

According to an article in the Московское Метро newspaper, 11/08/2008, условные единицы are being abolished.

7. Составьте диалоги

а. В ка́ссе. Лю́да покупа́ет биле́ты на экску́рсию на Байка́л.

Люда:	**Кассирша:**
Лю́да говори́т, что ей ну́жно два биле́та: один взро́слый и оди́н де́тский, на экску́рсию на Байка́л.	Касси́рша спра́шивает, ско́лько лет ребёнку.
12 лет.	Она́ говори́т, что шко́льники е́здят за две тре́ти цены́ взро́слого биле́та. Спра́шивает, на како́е число́ им нужны́ биле́ты и ско́лько дней они́ хотя́т провести́ на Байка́ле.
Они́ хотя́т е́хать че́рез три дня и провести́ на Байка́ле две но́чи.	Касси́рша рекоменду́ет купи́ть трёхдне́вную экску́рсию, включа́я авто́бусные биле́ты до Листвя́нки, пое́здку на ка́тере по Байка́лу с остано́вками на пикни́к и экску́рсию в ме́стный краеве́дческий музе́й.
Лю́да соглаша́ется и спра́шивает, ско́лько сто́ит така́я пое́здка.	Касси́рша отвеча́ет, что в э́то вре́мя го́да у них есть сезо́нная ски́дка и что вся пое́здка бу́дет сто́ить 3000 рубле́й.
Лю́да говори́т со вздо́хом, что, хоть э́то и дорого́е удово́льствие, но ей о́чень хо́чется пора́довать сы́на и вы́полнить своё обеща́ние показа́ть ему́ Байка́л.	Касси́рша жела́ет им прия́тно провести́ вре́мя на экску́рсии.

две тре́ти	-	two thirds	вздох	-	a sigh
краеве́дческий	-	for study of the local area	пора́довать	-	to make happy
ски́дка	-	a discount	вы́полнить	-	to fulfil

б. Ве́чером, когда́ Русла́н лёг спать, дя́дя Ко́ля и Людми́ла сидя́т на ку́хне, пьют чай и разгова́ривают.

Люда:	**Дядя Коля:**
Лю́да говори́т, как она́ расстро́ена заявле́нием Русла́на о том, что, когда́ он вы́растет, он хо́чет пойти́ в а́рмию, ведь это так опа́сно. Его́ мо́гут посла́ть да́же в Чечню́.	Дя́дя Ко́ля сове́тует Людми́ле не расстра́иваться ра́ньше вре́мени, так как Русла́н ещё ма́ленький и за шесть лет вполне́ может переду́мать. Он говори́т, что́бы Лю́да не стара́лась переубеди́ть Русла́на, потому́ что он то́лько бу́дет упо́рствовать и де́лать всё наоборо́т.
Лю́да отвеча́ет, что ей хо́чется, что́бы сын её слу́шался и доверя́л её мне́нию.	Дя́дя Ко́ля на э́то говори́т, что воспита́ние ребёнка - де́ло непросто́е, тут ну́жно мно́го терпе́ния и нельзя́ дави́ть на сы́на. Он продолжа́ет, что со вре́менем Русла́н повзросле́ет и поумне́ет, захо́чет учи́ться в университе́те, а вопро́с об а́рмии отпадёт сам собо́ю, поско́льку студе́нты получа́ют отсро́чку на всё вре́мя обуче́ния.
Лю́да соглаша́ется, что, скоре́е всего́, по́сле университе́та Русла́ну вряд ли захо́чется стать солда́том.	

расстро́ен	-	upset
заявле́ние	-	declaration
расстра́иваться	-	to be upset
вы́расти	-	to grow up
сове́товать	-	to advise
ра́ньше вре́мени	-	too soon, ahead of time
переубеди́ть	-	to change someone's mind
упо́рствовать	-	to be stubborn
наоборо́т	-	on the contrary, the opposite
воспита́ние	-	education
терпе́ние	-	patience
дави́ть на	-	to put pressure on
повзросле́ть	-	to get a bit older
поумне́ть	-	to get a bit wiser
отпа́сть	-	to drop away / be forgotten
отсро́чка	-	postponement

Приду́майте са́ми подходя́щую концо́вку для э́того разгово́ра.

УРОК 4 Повторение темы “склонение существительных”

Russian nouns, adjectives and pronouns have six* cases in the singular and six in the plural. The different cases are used to express meaning.

The **nominative case** is used for the subject of a sentence or for naming an object.

The **accusative case** is used for the direct object of a sentence, after в and на meaning "to", after за meaning "for" or “within a period of time” or “going behind”, with по meaning “up to” (see lesson 10), with о meaning “against” (e.g. a wall (see lesson 5), with про for “about something that happened”, and in certain expressions of time.

Я хочу́ послу́шать му́зыку.	I want to listen to music.
Пойдёмте на у́лицу!	Let’s go outside!
Спаси́бо за обе́д.	Thank you for the lunch.
Ра́ньше я игра́л в крике́т.	I used to play cricket.
за э́то вре́мя.	during that time.
Они се́ли за стол.	They sat down at the table.
Расскажи́ про тётю Све́ту.	Tell me what happened to auntie Sveta.
Они́ игра́ли мячо́м о сте́ну.	They were playing ball against the wall.
Мину́точку!	Just a minute!
Он жил там неде́лю.	He lived there for a week.

The **animate accusative**
This is the phenomenon whereby what appear to be genitive endings are used for animate objects in the accusative case. This happens with the masculine singular and plural and the feminine plural of animate nouns, and with adjectives that qualify them.

Она́ лю́бит чита́ть Толсто́го!	She loves reading Tolstoy.
Я встре́тил но́вого сосе́да.	I met the new neighbour.
Я зна́ю э́тих де́вушек.	I know those girls.

The **genitive case** is used for “of”, after negatives, in the singular after numerals 2, 3, 4, 22, 23, 24 etc., and in the plural after higher numbers, after negatives, after prepositions, including из, от, до, для, у, без and о́коло, after several verbs, and in other circumstances, for example in comparatives.

Это пальто́ Вади́ма.	It is Vadim’s coat.
Пери́од “бе́лых ноче́й”.	The period of the “white nights”.
Около Центра́льного телегра́фа.	By the central Telegraph office.
Она́ сейча́с без рабо́ты.	She is without work at the moment.
Не хвата́ло бензи́на.	There wasn’t enough petrol.
Он немно́го вы́ше тебя́.	He is a bit taller than you.

This is a difficult case because of the wide range of endings and usages, and the numerous exceptions. **There is a revision section on the genitive in lesson 6.**

The **dative case** is used for indirect objects, after к and по, in indirect and other expressions, and after certain verbs, for example помогать, запрещать.

Ты Вади́му ничего́ не сказа́ла?	You said nothing to Vadim?
Я де́лаю вам предложе́ние.	I am making you a proposal.
Роди́телям в Сара́нск.	To my parents in Saransk.
Принима́йте по одно́й табле́тке в день.	Take one tablet per day.
Ми́ше хо́чется спать.	Misha is sleepy.
благодаря́ его конта́ктам -	thanks to his contacts
Помоги́ мне с чемода́ном!	Help me with the case!

* There is also a vocative case, used only in colloquial speech, see lesson 10.

The **instrumental case** is used after с meaning "with" and other prepositions, including пéред, под, мéжду, над, ря́дом с and за. It is also used after certain verbs, for example быть (for non-permanent states), интересовáться, рабóтать, стать, занимáться, угощáть, считáть and пóльзоваться. It is used to express the idea of "in" a season or "at" a time of day.

пéред отъéздом	-	before departure
Вади́м не занимáется спóртом.		Vadim does not do any sport.
осóбенно нóчью.	-	especially at night
Он угощáл её морóженым.		He treated her to an ice-cream.

The **prepositional case** (also called the locative when used for place) is used after the prepositions в meaning "at" or "in", на meaning "at" or "on", о meaning "about" and при meaning "at the time of" or "in the presence of".

Кли́мат в Англии, как в Крымý.	The climate in England is like in the Crimea.
Жди́те меня́ на платфóрме.	Wait for me on the platform.
Я хочý поговори́ть о фотогрáфиях.	I want to talk about the photos.
При большевикáх бы́ло хýже.	When the Bolsheviks were in power it was worse.

Упражнения

To revise a particular case, take a text from this book or from any other suitable source. Go through the text, highlighting nouns, adjectives and pronouns in the case that you want to revise. Work out the reason for the use of the case in each instance. Songs and poems are often particularly effective in helping you to remember case endings, particularly when the endings are used in the rhyme. Make allowances for poetic and archaic language.

Beware instances where the case used in Russian is not what you would expect. For example in the Marshak poem on page 151:

согла́сно багáжной квитáнции - in accordance with the baggage receipt
(Because of the "with" you would expect an instrumental, but соглáсно is followed by the dative!)

комáндующий флóтом - the commander of the fleet
(You would expect a genitive to translate "of", but командовать takes the instrumental!)

1. Slogans for the dative

Work out the meaning of the slogans. Learn them by heart:

ЗАВОДЫ - РАБОЧИМ, ЗЕМЛЮ - КРЕСТЬЯНАМ!

МИРУ - МИР!

ВРАГУ НЕ БУДЕТ ПОЩАДЫ!

КАЖДЫЙ УДАР МОЛОТА
- УДАР ПО ВРАГУ!

СЛАВА НАШЕМУ ВЕЛИКОМУ
НАРОДУ, НАРОДУ-ПОБЕДИТЕЛЮ!

враг	-	the enemy
пощáда	-	mercy
удáр	-	a blow
мóлот	-	a hammer
слáва	-	glory
победи́тель	-	victor

2. Songs and poems for the instrumental.

1/55

Listen to the extracts on the CD and fill in the gaps in the verses.

а. И медленно, пройдя меж ___________,
Всегда без спутников, одна,
Дыша ___________ и ____________,
Она садится у окна.

б. Вьётся пыль под ___________,
___________, ___________.
А кругом бушует пламя,
Да пули свистят.

И ___________ ___________,
___________, ___________ -
Всё глядят во след за _________
Родные глаза.

в. ___________ ___________,
Я б к нему прижалась
И с его ___________
День и ночь шепталась.

г. Я вас любил безмолвно, безнадежно,
То ______________, то _____________ томим. *
Я вас любил так искренно, так нежно,
Как дай вам Бог ______________ быть _______________.

меж	-	between
пройдя́	-	walking past
пья́ный	-	drunkard
спу́тник	-	a companion
дыша́ть	-	to breath
духи́ (pl.)	-	scent
ви́ться	-	to swirl
пыль (f.)	-	dust
круго́м	-	around
бушева́ть	-	to rage
пла́мя (n.)	-	flame
пу́ля	-	a bullet
свисте́ть	-	to whistle
бескра́йний	-	endless
гляде́ть	-	to look
во след за	-	after
то́нкий	-	slender
ветвь (f.)	-	branch
прижа́ться	-	to press up against
лист	-	leaf
шепта́ться	-	to whisper
безмо́лвно	-	silently
безнаде́жно	-	hopelessly
То ..., то ...	-	Now ..., now ...
ро́бость (f.)	-	timidity
ре́вность (f.)	-	jealousy
томи́м	-	tormented

* There is an error here in the 2005 CD recording. See www.ruslan.co.uk/errata.htm

3. Decide which was which of the extracts in exercise 2:

Отры́вок из пе́сни “Доро́ги”, популя́рной пе́сни о войне́. _____
Отры́вок из пе́сни 19-го ве́ка “То́нкая ряби́на”. _____
Стро́ки из стихотворе́ния А.С. Пу́шкина “Я вас люби́л”. _____
Стро́ки из стихотворе́ния А. Бло́ка “Незнако́мка”. _____

4. Rozhdestvensky poem

Highlight the nouns, adjectives and pronouns in the Rozhdestvensky poem on pages 67 and 68 (after you have filled in the gaps). For each word, work out the case that is used and the reason for its use.

УРОК 5 Игорь Абрамович и Тимофей Николаевич

2/02 У Игоря Абрамовича Кузнецова, одного из членов совета директоров Байкальского целлюлозно-бумажного комбината, болела голова. Вчера вечером он долго обсуждал работу комбината с двумя близкими коллегами, но не пришёл ни к какому решению.

На комбинате работает свыше 3000 человек. Они живут и в городе, и в специально построенных посёлках на берегу озера. Среди них есть лесорубы, машинисты, химики, бухгалтеры, шофёры, даже повара́ и парикмахеры, но нет человека, который смог бы помочь ему, Игорю Абрамовичу, с жалобами, появляющимися в районной прессе о загрязнении озера и окружающей среды химическими отбросами комбината. Чтобы как следует реагировать на критику, Игорю Абрамовичу надо ввести новую должность пиарщика, но на какие средства это сделать и как найти нужного человека - Игорю Абрамовичу было неизвестно.

член сове́та	member of the board	по́вар	cook
обсужда́ть / обсуди́ть	to discuss	парикма́хер	barber
реше́ние	decision	жа́лоба	complaint
свы́ше	more than	появля́ться / появи́ться	to appear
постро́енный	built	отбро́сы	waste
посёлок	small town	как сле́дует	properly
среди́	amongst	кри́тика	criticism
лесору́б	lumberjack	вводи́ть / ввести́	to introduce
машини́ст	machinist	до́лжность (f.)	duty, job, position
хи́мик	chemist	пиа́рщик (slang)	public relations person

2/03 Игорь Абрамович улыбнулся. Такие жалобы неприятны, конечно, но всем понятно, что без финансирования не будет нужных улучшений, и в конечном счёте, весь город Байкальск зависит от комбината. Это градообразующее предприятие.

У Игоря Абрамовича были другие, более срочные заботы. Очень много сотрудников попросило отпуск в июле. Комбинат не сможет работать эффективно в этом месяце, если он пойдёт навстречу всем желающим. И ещё, химики требуют прибавку к зарплате. Кроме того, на его столе лежит долгожданное письмо от его бывшей жены, приехавшей в Иркутск неделю назад с сыном, которого Игорь так давно не видел. И ещё ему надо ответить на этот странный факс от его одноклассника Ивана Козлова.

улучше́ние	improvement	идти́ / пойти́ навстре́чу	to go along with
счёт	account	жела́ть / по-	to want, wish
зави́сеть от (imp.)	to depend on	приба́вка	addition, rise
градообразу́ющий	"town-forming"	зарпла́та	salary
предприя́тие	firm, company	долгожда́нный	long awaited
сро́чный	urgent	однокла́ссник	classmate
сотру́дник	worker		

2/04 Предложение Ивана было интересным. Надо набрать группу из ста человек, которые согласятся проверить новое английское средство против комаров. Люди найдутся, конечно, и комары - тоже! К тому же английская сторона хочет заплатить организаторам эксперимента. На эту просьбу можно сразу ответить. И будет приятно ещё раз увидеться с одноклассником. Игорь Абрамович достал из шкафа бутылку "Столичной" и стопку, налил себе 100 грамм, выпил, взял трубку и позвонил Ивану Козлову.

набира́ть / набра́ть	to enlist	сто́пка	small glass
сторона́	side	налива́ть / нали́ть	to pour
достава́ть / доста́ть	to get, reach for		

Людмила тоже узнала о возможности поучаствовать в эксперименте с новым средством. Позавчера, когда она стояла в очереди в сбербанке, она встретилась с заместителем председателя городской Думы, Тимофеем Николаевичем Карповым, недавно ехавшим вместе с ней в поезде в одном купе. Они долго разговаривали, сначала в сбербанке, а потом вместе сидели на скамейке в сквере Кирова. Тимофей Николаевич угощал Людмилу мороженым, они говорили о погоде, о семьях и о детях (оказалось, жена Тимофея Николаевича, украинка, покинула его полтора года назад и переехала к своим родителям в Одессу).

2/05

Тимофей Николаевич заинтересовался экскурсией на Байкал. Он сам давно не был на озере и хотел бы показать достопримечательности района Людмиле и её сыну.

Потом Тимофей Николаевич рассказал о том, как на днях он получил приглашение проверить новое английское средство против комаров и что он ищет желающих для участия в эксперименте. Люда сразу согласилась - не каждый день предлагают бесплатные средства, к тому же она действительно боялась сибирских комаров. Она также думала, что новое средство пригодится во время экскурсии на Байкал, которую она пообещала сыну.

2/06

Они решили встретиться попозже, чтобы Тимофей Николаевич мог передать Люде крем, а потом вместе пойти на вечер стихов Евгения Евтушенко.

уча́ствовать / по-	to take part in	на днях	the other day
позавчера́	the day before yesterday	уча́стие	participation
сберба́нк	savings bank	годи́ться / при-	to come in useful
скаме́йка	bench	крем	cream
угоща́ть / угости́ть	to treat to	стихи́ (pl.)	verse, poems
ока́зываться / оказа́ться	to turn out to be the case		

В кассе концертного зала

2/07

- Слушаю вас.
- Два билета, пожалуйста, в хорошем ряду, желательно в центре ряда.
- Вам на какой концерт?
- На сегодня, на стихи Евтушенко.
- Вы что? Шутите? Все билеты распроданы. Может быть, вы заказывали?
- Нет, не заказывал.
- Извините, мужчина, раз не заказывали, я вам ничем помочь не могу. Остались билеты только по заказам.
- Моя фамилия Карпов. Я - заместитель председателя городской Думы. Хочу сходить на вечер поэзии в своём городе. Нет ли у вас билетов в резерве?
- Господин Карпов! Извините! Я не узнала вас. Конечно, билеты найдутся. Или, может быть, вас устроит ложа?
- Нет. Два хороших билета в партер, пожалуйста. Сколько с меня?
- С вас 80 рублей. Вот вам билеты. Приходите ещё!

жела́тельно	preferably	резе́рв	reserve
шути́ть / по-	to joke	устра́ивать / устро́ить	to suit / to arrange
распродава́ть / распрода́ть	to sell out	ло́жа	box (in theatre)
		парте́р	stalls
зака́з	booking, order		

2/08

РОССИЙСКАЯ ФЕДЕРАЦИЯ

ПРЕДСЕДАТЕЛЬ

ИРКУТСКОЙ ГОРОДСКОЙ ДУМЫ

664027, Иркутск, ул. Ленина, 1а
тел. 20-00-15, 20 - 06 - 00

2.06.04 № 115/2

на № ________ от ________

Благодаря международным контактам заместителя председателя городской Думы Тимофея Николаевича Карпова, мы предлагаем всем нашим сотрудникам возможность поучаствовать в научном эксперименте. Вы сможете получить бесплатно новое английское средство от комаров, чтобы проверить его в июне и июле. В отличие от других средств, новое средство, сделанное в Кембридже, Англия, действует в течение двадцати четырёх часов. Если вы хотите его испытать, пожалуйста, обращайтесь к Карпову Тимофею Николаевичу.

Обычная цена крема 40 рублей, а Вы получите его бесплатно. Вам только надо будет написать короткий отчёт в конце лета об эффективности нового средства.

благодаря́	thanks to
в отли́чие от	as opposed to
де́йствовать	to be active, work
в тече́ние	for a period of
испы́тывать / испыта́ть	to test
обраща́ться / обрати́ться к	to contact, get in touch with
отчёт	a report
эффекти́вность (f.)	effectiveness

Байкальский целлюлозно-бумажный комбинат (БЦБК)

2/09

Комбинат расположен на южном побережье озера Байкал. Построен в 1966-ом году для производства высококачественной целлюлозы, применяемой в оборонной промышленности. Также производит обёрточную бумагу и стройматериалы.

Отходы производства Байкальского ЦБК, содержащие разнообразные минеральные и органические вещества, в том числе, высокотоксичные, такие как тяжёлые металлы и хлороорганические отбросы, поступают в озеро со сточными водами комбината. Также вредные вещества выпадают в озеро и на окружающую поверхность земли в виде осадков.

В настоящее время предложены мероприятия по снижению влияния целлюлозного производства на экосистему Байкала. Например: изготовление целлюлозы без хлора, создание замкнутого водного цикла, без сбросов в Байкал, и другие. Для этих улучшений Всемирный банк реконструкции и развития выделил кредит в размере 22,4 млн. долларов.

На БЦБК работает около 3000 человек. Для рабочих комбината и их семей имеются спортивный комплекс и база отдыха с двумя гостиницами.

Байкальский целлюлозно-бумажный комбинат (БЦБК).

Бумага в рулонах, производимая БЦБК.

Find the Russian for:
is situated
production
high quality
cellulose
used in
the defence industry
to produce
wrapping paper
building materials
waste material
various
highly toxic
heavy metals
organochlorides
waste water
harmful substances
surrounding
surface
the land
precipitation
measures to lessen
the influence, effect
ecosystem
manufacture
chlorine
closed water cycle
improvement
The World Bank
reconstruction
development
a credit

Вставьте слова!

Всеми́рный банк вы́делил ___________ для ___________ БЦБК в ___________, что комбина́т ___________ техноло́гию ___________ и ___________ коли́чество ___________ сбро́сов в о́зеро.

произво́дство
по́мощь - наде́жда
креди́т - вре́дный
улу́чшить - уме́ньшить

2/10

Русская водка

Пишет Михаил Кукушкин.

Хорошая водка изготовляется из питьевого спирта высшего качества “Люкс”. Крепость этого спирта не меньше 96,2%, и получают его только из пшеницы. Водку более низкого качества делают из картофельного или из других спиртов. Не рекомендуется покупать водку в киосках.

Для изготовления водки питьевой спирт смешивается с водой, раствор обрабатывают активированным углем и фильтруют. В водке бывают разные добавки: лимон, перец, травы и т.д.

Знаменитый русский химик Д.И.Менделеев (создатель периодической таблицы химических элементов) рассчитал идеальную для водки крепость - 38%, когда он в 1865 году защитил докторскую диссертацию по соединению спирта с водой. Однако многие спиртные заводы взяли за основу 40%.

Водку нельзя сильно охлаждать. Чтобы почувствовать её вкус, оптимальная температура должна быть от 8 до 10 градусов. Её надо пить из маленьких рюмочек - стопок. В баре или в ресторане она измеряется в граммах - типичная мера 50 или 100 грамм. Не рекомендуется держать водку во рту, её надо выпить одним глотком, а затем сразу закусить. Классические закуски - солёный огурец или грибы.

В России каждый большой город выпускает свою водку.

За Ваше здоровье!

Водка из разных районов России

Guess the meanings:
изготовля́ться
питьево́й
спирт
ка́чество
кре́пость (f.)
пшени́ца
карто́фель (m.)
сме́шиваться
раство́р
у́голь (m.)
фильтрова́ть
доба́вка
созда́тель (m.)
соедине́ние
охлажда́ть
вкус
измеря́ться
ме́ра
глото́к
выпуска́ть

Правильно / неправильно / мы не знаем :

а. Во́дку не де́лают из карто́феля.
б. Менделе́ев люби́л пить во́дку.
в. Во́дку на́до храни́ть в морози́лке.

2/11

Слушайте!

Прослу́шайте разгово́р с Ми́шей Куку́шкиным о во́дке.

1. Найди́те сле́дующие выраже́ния:

bad for your health	*from ancient times*	*a box of vodka*
in small doses	*up to today*	*a certificate from the registry office*
good for your health	*the battle with drunkenness*	*to please Gorbachov*
(in) from the cold	*withdrawn from sale*	*they chinked their glasses*
to take away stress	*to buy with coupons*	

2. Объясни́те по-ру́сски, что тако́е “моло́чная сва́дьба”.

ЕВТУШЕНКО ЕВГЕНИЙ АЛЕКСАНДРОВИЧ

Родился 18 июля 1933 года в Иркутской области в семье геологов и провёл свою молодость в Сибири. Затем он переехал с семьёй в Москву.

2/12

С 1949 Евтушенко начал печатать стихи. В 1952 стал самым молодым членом Союза писателей СССР. **Один из самых популярных русских поэтов 20-го века, Евтушенко** отражает в своем творчестве настроения и перемены в сознании своего поколения.

Наиболее известными произведениями стали поэмы “Станция Зима” (1953-56), “Братская ГЭС” (1965), а также сборники стихов “Шоссе энтузиастов” (1956) и “Интимная лирика” (1973).

В 1981 Евтушенко опубликовал роман "Ягодные места". За поэму "Мама и нейтронная бомба" в 1984 он получил Государственную премию СССР.

Один из вождей литераторов-«шестидесятников» (переведён более, чем на 70 языков мира, член Европейской академии искусств и наук), Евтушенко выступал как чтец собственных стихов, а также стихов других поэтов, был актёром, режиссёром, сценаристом и фотохудожником. Ему вручены литературные премии "Фруджено-81" (Италия), "Академии СИМБА" в 1984 (Италия), международная премия "Золотой лев" (Венеция). Евтушенко является почётным членом Испанской и Американской академий, профессором в Питсбургском университете, в университете Санта-Доминго.

Пишет учитель русского языка Лариса Эгнер.

Евгений Александрович Евтушенко живёт в Москве. Он преподаёт в американских университетах русскую поэзию по собственному учебнику ("Антология русской поэзии").

Женат. Имеет пятерых сыновей.

Find the Russian for:			
geologist	century	generation	academy
youth	to reflect	literary works	reader of his own verses
to print (publish)	(literary) works	collection	awarded
the youngest member	moods	neutron bomb	honorary member
the Union of Writers	changes	leader	to teach
popular	consciousness	translated	anthology

Вопросы

1. Перечи́слите профе́ссии Евге́ния Евтуше́нко?
2. Назови́те не́сколько его́ стихо́в.
3. Каки́е литерату́рные награ́ды он получи́л?

Отрывок из автобиографической поэмы "Станция Зима"
Евтушенко пишет о том, как сибиряк возвращается летом 1953-го года на родину в надежде найти ответы на вопросы того времени и тех событий Советского Союза (смерть Сталина, арест Берии). Однако, вместо того, чтобы ответить на его вопросы, люди задают ему ещё больше новых вопросов.

В конце поэмы он описывает, как он уезжает со станции Зима:

2/13

Мальчишки мелочь об стену бросали,
грузовики тянулись чередой,
и торговали бабы на базаре
коровами, брусникой, черемшой.
Я шёл всё дальше грустно и привольно,
и вот, последний одолев квартал,
я поднялся на солнечный пригорок
и долго на пригорке том стоял.
Я видел сверху здание вокзала,
сараи, сеновалы и дома.
Мне станция Зима тогда сказала.
Вот что сказала станция Зима:

«Живу я скромно, щёлкаю орехи,
тихонько паровозами дымлю,
но тоже много думаю о веке,
люблю его, душою не кривлю.
Ты не один такой сейчас на свете
в своих исканьях, замыслах, борьбе.
Ты не горюй, сынок, что не ответил
на тот вопрос, что задан был тебе.
Ты потерпи, ты взглядывайся, слушай.
Ищи, ищи. Пройди весь белый свет.
Да, правда хорошо, а счастье лучше,
но всё-таки без правды счастья нет.
Иди по свету с гордой головою,
чтоб всё вперёд - и сердце и глаза,
а по лицу -
хлестанье мокрой хвои,
а на ресницах -
слёзы и гроза.
Люби людей - и в людях разберёшься.
Ты помни - у меня ты на виду.
А трудно будет - ты ко мне вернёшься ...
Иди!»
И я пошёл.
И я иду.

Словарь

ме́лочь	small change
чередо́й	in a row
торгова́ть	to trade
коро́ва	a cow
бруски́ка	cowberries
черемша́	wild garlic
приво́льно	in a relaxed way
приго́рок	hillock
сара́й	a shed
сенова́л	hayloft
скро́мно	modestly
щёлкать	to crack
дыми́ть	to give off smoke
криви́ть душо́й	to be hypocritical
иска́ния	searches
за́мыслы	plans, projects
борьба́	fight
горева́ть	to be sad
терпе́ть / по-	to be patient, to put up with something
взгля́дываться	to have a good look
бе́лый свет	the wide world
го́рдый	proud
хлеста́нье	the lashing
мо́крый	wet
хво́я	pine needles
ресни́цы	eyelashes
гроза́	a storm

разбира́ться / разобра́ться в
to understand, to make something out

Look at these lines of the poem above. Explain in Russian what you think Evtushenko was referring to:

а. Мальчи́шки ме́лочь о́б стену броса́ли, ...
б. «Живу́ я скро́мно, щёлкаю оре́хи, ...»

УРОК 5	Грамматика

Present and past active participles decline

You first met present active participles in Ruslan 2 and they are revised in Ruslan 3, lesson 6. Here you see that they decline as adjectives, agreeing in gender, number and case with the noun that they qualify:

 е́сли он пойдёт навстре́чу всем жела́ющим
  - if he agrees to everyone who wants to

Present active participles formed from reflexive verbs add the particle -ся:

 с жа́лобами, появля́ющимися в газе́те
  - with complaints appearing in the newspaper

> Find an example of a present active participle in the text on the БЦБК, page 83.

Past active participles (Ruslan 3, lesson 1) also decline:

 Мы разгова́ривали с офице́рами, е́хавшими домо́й.
  We were talking with the officers who were travelling home.

The declension of surnames

Surnames in -ев , -ёв, -ов, -ин, -ын decline partly like nouns and partly like adjectives:

	Masculine	Feminine	Plural
Nom.	Ка́рпов	Ка́рпова	Ка́рповы
Acc.	Ка́рпова	Ка́рпову	Ка́рповых
Gen.	Ка́рпова	Ка́рповой	Ка́рповых
Dat.	Ка́рпову	Ка́рповой	Ка́рповым
Instr.	Ка́рповым	Ка́рповой	Ка́рповыми
Prep.	о Ка́рпове	о Ка́рповой	о Ка́рповых

 У Игоря Абра́мовича Кузнецо́ва боле́ла голова́.
  Igor' Abramovich Kuznetsov had a headache.
 с Тимофе́ем Никола́евичем Ка́рповым
  - with Timofei Nikolayevich Karpov
 в кварти́ре у Зво́новых - in the Zvonovs' flat

The declension of numerals два, три, четыре

You have met some of these endings in Ruslan 1 and 2. The full declension is:

Nom.	два, две	три	четыре
Acc.	два, две	три	четыре
Gen.	двух	трёх	четырёх
Dat.	двум	трём	четырём
Instr.	двумя́	тремя́	четырьмя́
Prep.	о двух	о трёх	о четырёх

> The accusative of masculine animate forms is the same as the genitive.

 с двумя́ бли́зкими колле́гами - with two close colleagues
  по́сле четырёх часо́в - after four o'clock
  с тремя́ колёсами - with three wheels

пиарщик - public relations person

пиа́р - "public relations" (PR) - entered the Russian language in the early 2000's as a specialist expression, and has several derivatives:

  пиа́рить - to do public relations work
  пиа́рщик - a public relations person

Many words have entered the Russian language in this way in the last few years. Some may become permanent, others may disappear. See exercise 4 page 89.

Чтобы как следует реагировать на критику, ...
- To react properly to the criticism, ...
Note that кри́тик is "a critic" and кри́тика is "criticism".

Много сотрудников попросило отпуск в июле.
A lot of colleagues had asked for a holiday in July.
When мно́го with the genitive, is used as subject of a verb, to mean a lot of people or things, the verb is put in the third person singular.
The same applies to most other indefinite numerals:
Большинство́ делега́тов проголосова́ло за ука́з Президе́нта.
The majority of the delegates voted for the President's decree.
However, the plural is often also used, and "Мно́го сотру́дников попроси́ли о́тпуск" would not be seen as a serious mistake.

Химики требуют прибавку к зарплате.
The chemists are demanding a pay rise.
зарпла́та is an abbreviation of за́работная пла́та but has become a word in its own right.

одноклассник - fellow pupil
The use of this word differs from its English equivalent. It can be used long after you leave school, for people that you used to study with.
Note also одноку́рсник - "fellow student".
The feminine forms are однокла́ссница and одноку́рсница.

Тимофей Николаевич угощал Людмилу мороженым.
Timofei Nikolayevich treated Lyudmila to an ice cream.
угоща́ть / угости́ть - "to treat to" - takes the instrumental for the second, indirect, object.

полтора года - one and a half years
полтора́ means "one and a half" and is followed by the genitive singular.
See Lesson 6, page 103, for an explanation of its different forms.

Она переехала к родителям в Одессу.
She had gone to live with her parents in Odessa.
You might expect the prepositional case to be used here - в Оде́ссе - as the parents are living there. However the accusative is used because of the move to Odessa.

Позавчера она встретилась с ... The day before yesterday she met ...
позавчера́ - the day before yesterday
послеза́втра - the day after tomorrow
These two words do not change their endings.

вечер стихов Евгения Евтушенко
- an evening of poems of Evgeny Evtushenko
стихи́ - "poems" or "verse", a masculine noun that is used in this meaning in the plural only.

Благодаря контактам ... Thanks to the contacts ...
благодаря́ ... - "thanks to..." - takes the dative case.

Мальчи́шки ме́лочь о́б стену броса́ли, ...
The little boys threw coins against the wall, ...
The preposition о is used with the accusative to mean "up against", with motion.

УРОК 5 Упражнения

1. Вопросы к тексту

а. Кем рабо́тает Игорь Абра́мович Кузнецо́в?
б. Каки́е пробле́мы возни́кли у него́ в связи́ с персона́лом?
в. Кака́я пробле́ма беспоко́ит его́?
г. Игорь Абра́мович серьёзно отно́сится к жа́лобам по по́воду рабо́ты его заво́да?
д. Каково́ предложе́ние Ива́на Козло́ва?
е. Как Лю́да узна́ла о возмо́жности уча́ствовать в экспериме́нте с но́вым сре́дством?
ж. Почему́ она́ согласи́лась уча́ствовать в экспериме́нте?
з. Как отлича́ется но́вое сре́дство от други́х средств?
и. Ско́лько ну́жно заплати́ть за уча́стие в экспериме́нте?

2. Rewrite using a past participle instead of "который" plus the verb

а. Она́ сиде́ла с солда́том, кото́рый прие́хал из Сара́това.
б. Он рабо́тал в организа́ции, кото́рая получи́ла де́ньги от горсове́та.
в. Кома́ндующий фло́том не хоте́л встреча́ться с же́нщиной, кото́рая потеря́ла сы́на на подво́дной ло́дке.
г. Он сиде́л в такси́, кото́рое стоя́ло о́коло до́ма.
д. Они́ забы́ли о колле́ге, кото́рый у́мер в про́шлом году́.
е. Я разгова́ривал с тури́стами, кото́рые прие́хали из По́льши.
ж. Вы знако́мы с ма́льчиком, кото́рый сиде́л ря́дом со мной.
з. Она́ лю́бит врача́, кото́рый рабо́тал в Новосиби́рске.

3. Use the names to fill the gaps, changing the endings as needed

а. Я был там с президе́нтом ______________. Пу́тин
б. Это маши́на госпожи́ ______________. Ивано́ва
в. Мы жи́ли у ______________. Ивано́вы
г. Переда́й приве́т господи́ну ______________! Ивано́в
д. Он пи́шет письмо́ ________ ____________ ____________. Ве́ра Никола́евна Ро́нина
е. Он отправля́ет факс ________ ____________ ____________. Михаи́л Андре́евич Кузнецо́в
ж. Её муж танцу́ет с ________ ____________. Ни́на Ми́нская
з. Ле́нин жил в Швейца́рии с ____________ ____________ ____________. Наде́жда Константи́новна Кру́пская
и. Это предложе́ние от семьи́ ______________. Ники́тины

4. Which is which? Find the definitions of these new "Russian" words

уике́нд	бу́лочка с мя́сом и сы́ром
хай-фа́й	доска́ для ката́ния
ток-шо́у	ва́жная иде́я, кото́рую а́втор хо́чет сообщи́ть чита́телям
прайм-та́йм	вид оде́жды
ме́сседж	наёмный уби́йца
кофебре́йк	высокока́чественная звукова́я аппарату́ра
чи́збургер	суббо́та и воскресе́нье
скейтбо́рд	телевизио́нная програ́мма с бесе́дами
топ	вре́мя, когда́ мно́гие лю́ди смо́трят телеви́зор
ше́йпинг	люби́тель бы́стро е́здить по го́роду на мотоци́кле
ба́йкер	коро́ткий переры́в
ки́ллер	оздорови́тельная гимна́стика
шо́ппинг	похо́д по магази́нам за поку́пками

5. Use “два”, “три” or “четыре” to fill the gaps, changing the endings if needed

а. Тро́йка, э́то са́ни или каре́та с ________ лошадьми́.
б. Рома́н Л.Н. Толсто́го “Война́ и Мир” состои́т из _________ часте́й в ________ тома́х.
в. Францу́зский а́втор А. Дюма́ писа́л о ________ мушкетёрах.
г. Бипла́н - это самолёт с __________ кры́льями.
д. Трипла́н - это самолёт с __________ кры́льями.
е. Теле́га - это сре́дство передвиже́ния с __________ колёсами.
ж. Брита́нский парла́мент состои́т из ___________ пала́т.
з. В фина́ле уча́ствуют ___________ кома́нды из ___________, игра́ющих в полуфина́ле.
и. Год состои́т из __________ сезо́нов. В ка́ждом сезо́не по __________ ме́сяца.

6. Choose words to fill the gaps, changing the endings if needed

а. Я уви́дел его́ в пе́рвый раз _____________.
б. Жена́ не обраща́ла _____________ на сове́ты му́жа.
в. Он рабо́тает здесь _____________ го́да.
г. Медсестра́ пое́хала рабо́тать в _____________.
д. Ты придёшь _____________ и́ли нет?
е. Преподава́тель _____________ студе́нтов _____________.
ж. Мно́го пассажи́ров _____________ на вокза́ле.
з. Я по́нял ситуа́цию то́лько благодаря́ его _____________.

послеза́втра - позавчера́ - угоща́ть - внима́ние - шампа́нское
ждать - полтора́ - Сама́ра - сове́ты

7. Choose words to fill the gaps, changing the endings if needed

а. Они́ _____________ пробле́мы тре́тьего ми́ра.
б. Он сиде́л в ба́ре с ____________ но́выми колле́гами.
в. Мно́го рабо́чих _____________ получи́ть пре́мию.
г. Он хоте́л уви́деть свою́ ______________ жену́.
д. Англича́не хоте́ли заплати́ть ______________.
е. Отбро́сы _____________ по́ртят ка́чество воды́ в о́зере.

организа́торы - комбина́т - хоте́ть - бы́вший - обсужда́ть - два

8. Choose verbs to fill the gaps. Add the necessary past tense endings

а. Мы не ________________ в экспериме́нте.
б. Вдруг из ко́мнаты ________________ ма́ма.
в. Обсуди́в вопро́с, они́ ______________ ему́ навстре́чу.
г. Оте́ц _______________ жену́ и двух сынове́й.
д. Депута́ты ______________ вы́боров.
е. Мне _________________ пообе́дать в рестора́не.

боя́ться - поки́нуть - вы́бежать - уча́ствовать - пойти́ - предложи́ть

9. Какие профессии? Work out the professions

Он и́ли она́ ...

а. ... стрижёт ва́ши во́лосы.
б. ... печёт хлеб.
в. ... счита́ет при́быль, убы́тки.
г. ... мо́ет полы́, вытира́ет пыль.
д. ... гото́вит еду́.
е. ... приезжа́ет по вы́зову и ока́зывает по́мощь.
ж. ... везёт вас туда́, куда́ вы ска́жете. Лю́бит чаевы́е.
з. ... обслу́живает клие́нтов в ба́ре.
и. ... обслу́живает клие́нтов в рестора́не.
к. ... прино́сит пи́сьма.
л. ... предска́зывает пого́ду.
м. ... продаёт ту́ры, путёвки.
н. ... плани́рует строи́тельство зда́ний.
о ... слу́жит в Це́ркви.
п ... чи́стит тру́бы.
р. ... га́сит пожа́ры.
с. ... ремонти́рует водопрово́д.
т. ... шьёт и чи́нит о́бувь.
у. ... танцу́ет на льду.
ф. ... игра́ет на бараба́не.
х. ... ле́чит живо́тных.
ц. ... поёт пе́сни.
ч. ... летает на самолёте.
х. ... де́лает невозмо́жное!

архите́ктор - бараба́нщик барме́н - бухга́лтер - ветерина́р врач ско́рой по́мощи - лётчик метеоро́лог - официа́нт - парикма́хер певе́ц - пе́карь - по́вар - пожа́рник почтальо́н - преподава́тель ру́сского языка́ - санте́хник - сапо́жник свяще́нник - такси́ст - трубочи́ст тураге́нт - убо́рщица - фигури́ст

10. Лексика. Find the definitions

а. дире́ктор ________________
б. ма́ленький го́род ________________
в. челове́к, кото́рый уча́ствует в чём-то ________________
г. колле́га ________________
д. заво́д, где де́лают во́дку ________________
е. хорошо́ изве́стный ________________
ж. немно́жко поку́шать ________________

закуси́ть - сотру́дник - знамени́тый - во́дочный заво́д
уча́стник - нача́льник - посёлок

2/14

1. Прослушайте стихотворение Е. Евтушенко
Вста́вьте пропу́щенные слова́.
Пото́м вы́учите стихотворе́ние наизу́сть.

Моей собаке

В стекло уткнувши ___________ ___________
Всё _______________________________________.

Я _____________ в шерсть его кладу,
И тоже я _________________________________.

Ты _________________, пёс, пора была
Когда _____________________________________?

Но кто же мне ______________________?
Не то сестра, ___________________________,
А иногда, казалось, дочь,
____.

Она далёко. . . Ты притих.
____.

Мой славный пёс, ты всем хорош,
А только ________________________________!

Pressing his black nose against the glass, the dog waits and waits for someone.

I put my hand in his fur, and I'm waiting for someone too.

Do you remember, dog, there was a time when a woman lived here?

But who was she for me? Not quite a sister, not a wife, but sometimes, it seemed, a daughter, whom I had to help.

She is far away ... You have gone quiet. There won't be other women here.

My wonderful dog, you are fine in every way. It's just a pity you don't drink.

2. Устная работа в группе
Зада́йте вопро́сы и расскажи́те друг дру́гу о том, когда́ у Вас быва́ет головна́я боль.

- У Вас э́то быва́ет ча́сто, ре́дко? Ско́лько раз в ме́сяц?
- Это о́страя боль? Это мигре́нь?
- Это быва́ет, когда́ у Вас пробле́мы на рабо́те, в шко́ле, в семье́?
- Это быва́ет, когда́ Вы сли́шком до́лго сиди́те пе́ред экра́ном компью́тера или сли́шком до́лго чита́ете?
- Это быва́ет по́сле употребле́ния спиртны́х напи́тков? Каки́х?
- Когда́ ещё э́то быва́ет?

- Что Вы де́лаете, когда́ у Вас боли́т голова́? Вы пьёте табле́тки? Вы принима́ете ещё каки́е-нибудь ме́ры? Вы обраща́етесь к врачу́?

В гру́ппе реши́те, кто из Вас страда́ет бо́льше всех / ме́ньше всех от головно́й бо́ли.

3. Устная работа в группе
Зада́йте вопро́сы и расскажи́те друг дру́гу о том, како́й у Вас / у Ва́шего му́жа / у Ва́шей жены́ / у Ва́ших роди́телей / у Ва́ших знако́мых о́тпуск.

- Ско́лько раз в году́? Ско́лько дней?
- Вы рабо́таете / они рабо́тают в дни госуда́рственных пра́здников?
- Вре́мя о́тпуска совпада́ет со шко́льными кани́кулами?

4. Устная работа в группе

Зада́йте вопро́сы и расскажи́те друг дру́гу о том, как Вы ходи́ли на конце́рт / в кино́ / в теа́тр.

- С кем Вы ходи́ли?
- Где и́менно в за́ле Вы сиде́ли?
- Кто игра́л? Како́й фильм пока́зывали? Как называ́лся спекта́кль?
- Вам э́то понра́вилось? Почему́? Почему́ нет?

Реши́те, на како́е из представле́ний, кото́рые посеща́ли Ва́ши колле́ги, Вы са́ми хоте́ли бы пойти́ и почему́.

5. Игра в кругу

Студе́нты стоя́т / сидя́т в кругу́.

Пе́рвый говори́т:	Я зна́ю Ни́ну Алексе́евну Смирно́ву.
Второ́й:	Он / она́ зна́ет Ни́ну Алексе́евну Смирно́ву. А я был в гостя́х у Ни́ны Алексе́евны Смирно́вой.
Тре́тий:	Он / она́ .... Он / она́ .... А я посла́л факс Ни́не Алексе́евне Смирно́вой.
Четвёртый:	.... ходи́л в кино́ с Н.А.С.
Пятый:	.... всё вре́мя ду́маю о Н.А.С.

Повтори́те упражне́ние со сле́дующими имена́ми:

Бори́с Бори́сович Бори́сов
Зина́ида Серге́евна Кузнецо́ва
Никола́евы (то есть семья́ Никола́евых)
и с други́ми изве́стными Вам имена́ми.

6. Пишите!

Соста́вьте письмо́, кото́рое Людми́ла посла́ла бы́вшему му́жу Игорю Абра́мовичу Кузнецо́ву до пое́здки в Ирку́тск. Включи́те сле́дующие пу́нкты:

- жизнь Лю́ды и Русла́на в Москве́
- вопро́сы бы́вшему му́жу о его́ рабо́те и о ли́чной жи́зни
- информа́ция о предстоя́щей пое́здке Лю́ды и Русла́на в Ирку́тск
- вопро́с о возмо́жной встре́че с ним.

Начни́те так:

Москва. 1-ое июня 2005

Дорогой Игорь!

Прошло так много времени с тех пор, как мы с тобой расстались!...

У нас в Москве......

Как у тебя там, в Байкальске?

Мы с Русланом собираемся приехать...

Может быть, нам с тобой пора снова встретиться?

......

7. Составьте диалоги

а. Игорь Абра́мович Кузнецо́в разгова́ривает с колле́гой.

Коллега:	**Игорь Абрамович:**
Колле́га расска́зывает Кузнецо́ву о статье́, напеча́танной во вчера́шней газе́те. В статье́ говори́тся о том, как комбина́т загрязня́ет окружа́ющую среду́ свои́ми отхо́дами.	Игорь Абра́мович отвеча́ет, что уста́л реаги́ровать на пре́ссу и что ему́ необходи́м помо́щник по рабо́те со сре́дствами ма́ссовой информа́ции, одна́ко он не зна́ет, из каки́х де́нег э́то финанси́ровать, ведь ему́ ещё на́до найти́ фо́нды на надба́вку зарпла́ты для хи́миков.
Колле́га сове́тует про́сто игнори́ровать статью́, хотя́ э́то и неприя́тно.	
Он та́кже напомина́ет Игорю Абра́мовичу, что мно́гие сотру́дники хотя́т пойти́ в о́тпуск в ию́ле.	Игорь Абра́мович говори́т, что он об э́том зна́ет и понима́ет, что комбина́т не смо́жет рабо́тать в по́лную си́лу, е́сли он всех отпу́стит.

необходи́м	-	essential	напомина́ть	-	to remind
помо́щник	-	assistant	отпусти́ть	-	to release
сре́дства ма́ссовой информа́ции	-	the mass media			

б. Игорю Абра́мовичу Кузнецо́ву позвони́л Ива́н Козло́в.

Иван:	**Игорь:**
Ива́н спра́шивает о здоро́вье и успе́хах Кузнецо́ва.	Игорь отвеча́ет, что здоро́в и дово́лен рабо́той, одна́ко о́чень уста́л от постоя́нных пробле́м и отве́тственности, свя́занных с руково́дством комбина́том. Он опи́сывает э́ти пробле́мы.
	Игорь интересу́ется, как дела́ у Ива́на.
Ива́н говори́т, что хорошо́, и объясня́ет причи́ну своего́ звонка́.	Игорь отвеча́ет, что найти́ жела́ющих для уча́стия в экспериме́нте бу́дет несло́жно. Во-пе́рвых, лю́ди лю́бят что-то получа́ть беспла́тно; а во-вторы́х, ру́сский челове́к вообще́ лю́бит испы́тывать нови́нки и терпе́ть не мо́жет комаро́в.
Иван обра́дованно отвеча́ет, что он так и ду́мал, что Игорь ему́ помо́жет.	Игорь обеща́ет за́втра же пове́сить на комбина́те объявле́ние о набо́ре жела́ющих для уча́стия в экспериме́нте.

Приду́майте са́ми подходя́щую концо́вку для э́того разгово́ра.

отве́тственность (f.)	-	responsibility
руково́дство	-	supervision
нови́нка	-	a novelty
терпе́ть	-	to put up with
обра́дованно	-	joyfully
пове́сить	-	to hang (something)
набо́р	-	recruitment

УРОК 6 — Экскурсия на Байкал

2/15

Наконец, настал день долгожданной экскурсии. Люда и Руслан поехали рано утром на автобусе на пристань в Листвянке, за семьдесят километров от Иркутска. Дорога была хорошая, асфальтированная и шла между красивыми лесистыми холмами. Доехав до пристани, они поднялись на борт теплохода “Рубин” и начали трёхдневную экскурсию по Байкалу.

У них была каюта на двоих, со всеми удобствами: холодильником и даже радиоприёмником. Роскошь! Громкоговоритель играл известную песню:

“Славное море, священный Байкал,
Славный корабль, омулёвая бочка ....”

- Мама, а что такое омулёвая бочка?
- Это бочка из-под солёной рыбы. Омуль - это байкальская рыба. Послушай, Руська, а мы ничего не забыли? Плавки? Мобильный телефон? Крем от загара и от комаров?
- Нет, всё есть. Ты уже спрашивала об этом в автобусе.

настава́ть / наста́ть	to come (a time)	сла́вный	glorious, splendid
долгожда́нный	long-awaited	свяще́нный	holy
асфальти́рованный	asphalt (adj.)	омулёвый	omul (adj.)
леси́стый	forested	бо́чка	barrel
холм	hill	солёный	salted
на борт	on board (going on board)	о́муль (m.)	omul (Siberian fish)
теплохо́д	boat	пла́вки	swimming shorts
каю́та	cabin	зага́р	suntan
холоди́льник	fridge		
радиоприёмник	radio set		
ро́скошь (f.)	luxury		

2/16

Музыка закончилась и строгий мужской голос, поприветствовав пассажиров, дал инструкцию по безопасности поведения на теплоходе:

Уважаемые пассажиры!
Капитан Иванов и его экипаж приветствуют вас на борту теплохода “Рубин”. Желаем вам приятной экскурсии по озеру “Байкал”.

В аварийной или другой чрезвычайной ситуации вы услышите следующий сигнал: Бип ... Бип ... Бип ... Бип ... Бип ... Бип ... Бип ...
Если вы услышите этот сигнал, вы должны собраться на верхней палубе теплохода и ждать дальнейших указаний.

Напоминаем вам, что во время штормовой погоды стоять вблизи бортов судна воспрещается, а также ...

стро́гий	strict	чрезвыча́йный	emergency (adj.)
го́лос	voice	дальне́йший	further
приве́тствовать / по-	to welcome	указа́ние	instruction
безопа́сность (f.)	safety	напомина́ть / напо́мнить	to remind
поведе́ние	conduct, behaviour	вблизи́ (+ gen.)	close to
экипа́ж	crew	су́дно	vessel
на борту́	on board (being on board)	воспреща́ться (imp.)	to be forbidden
авари́йный	accident (adj.)		

2/17 Тимофей Николаевич Карпов тоже плыл на теплоходе. Он быстро отыскал Людмилу и Руслана, и они втроём пошли ужинать в ресторан “Баргузин”. Ужин, подаваемый в этом небольшом ресторане, не отличался разнообразием, но Люду вполне устроил: овощной салат для неё само́й и гречневая каша с молоком для Руслана. Тимофей Николаевич пил пиво, а Люда с сыном предпочли напиток “Байкал”, производимый местным заводом безалкогольных напитков.

2/18 Тимофей Николаевич начал рассказывать о Байкале. Он рассказал о том, что в озере Байкал находится самый большой запас пресной воды в мире и что оно является самым глубоким озером в мире, что в Байкал впадает более 300 ручьёв и рек, а из него вытекает только одна река - Ангара. Он также рассказал о природе озера и о животных, живущих там.

Он рассказал о том, что зимой толщина льда достигает полутора метров и что по озеру ходят машины и даже грузовики. Он также рассказал о том, что в конце XIX века за Байкал ссылали многих революционеров, включая Чернышевского, но что Ленина, Троцкого и Сталина сослали в Западную Сибирь.

2/19
- А Сталин сам ссылал людей? - спросил Руслан.
- Да, в своё время очень многих. Я потом расскажу.
- Ах! - вскрикнула Людмила. - Мы забыли намазаться этим кремом, а комары уже нашли нас! Руська, сходи-ка за кремом!

плыть / по-	to sail / to swim	живо́тное	animal
втроём	three together	толщина́	thickness
отлича́ться / отличи́ться	to excel	лёд	ice
разнообра́зие	variety	достига́ть / дости́чь	to reach
вполне́	fully	полтора́	one and a half
овощно́й	vegetable (adj.)	грузови́к	lorry
гре́чневая ка́ша	buckwheat porridge	ссыла́ть / росла́ть	to exile
предпочита́ть / предпоче́сть	to prefer	включа́ть / включи́ть	to include
производи́ть / произвести́	to produce	кри́кнуть / вс-	to cry out
ме́стный	local	нама́зываться / нама́заться	to apply, rub on
запа́с	store	сходи́ть за (perf.)	to go to fetch
пре́сный	fresh (of water)	-ка	particle adds encouragement (see grammar section)
впада́ть / впасть в	to flow into		
вытека́ть / вы́течь из	to flow out of		

2/20 Вадим Звонов приехал в Иркутск неделю назад, чтобы снять фильм о загрязнении озера целлюлозно-бумажным комбинатом. В Иркутске он нанял операторов и записал интервью с представителем организации “Байкальская Экологическая Волна”. Он также хотел взять интервью у директора БЦБК, но тот не ответил на его звонки. Поэтому Вадим решил поехать на комбинат без приглашения, в надежде побеседовать хотя бы с рабочими, если не с сами́м директором. Сегодня он плыл на том же самом теплоходе, где находились Людмила, Руслан и Тимофей Николаевич, и даже ужинал в том же самом ресторане.

снима́ть / снять фильм	to make a film	представи́тель	representative
нанима́ть / наня́ть	to hire	экологи́ческий	ecological
опера́тор	camera operator	волна́	wave
запи́сывать / записа́ть	to record	наде́жда	the hope
интервью́	interview	бесе́довать / по-	to have a conversation
		хотя́ бы	at the least

Услышав женский визг, жалобу о комарах и слово “Руська”, Вадим сразу понял, что это его бывшая подруга Людмила Кисина. Он перешёл к столику, где сидели Люда и Тимофей Николаевич. Люда удивилась. Но что делать? Некуда было спрятаться. Вадим присел, а Руслан вернулся с кремом. Люда познакомила Тимофея Николаевича с Вадимом и объяснила Вадиму, откуда у неё такой экзотический крем против комаров. Они все намазались новым кремом и начали вежливый разговор. 2/21

Они разговаривали о семье, о дяде Коле и о смерти тёти Светы. Вадим рассказал о причине своей поездки на целлюлозно-бумажный комбинат. Тимофею Николаевичу это было крайне интересно, поскольку он сам постоянно занимался вопросами защиты окружающей среды, и мужчины начали подробно обсуждать проблемы озера. О том, что её первый муж является директором БЦБК, Люда молчала.

Обрадовавшись, что Тимофей Николаевич и Вадим нашли общий язык, Люда сказала, что комары её всё ещё кусают (хотя на других английское средство действовало очень эффективно!) и что ей и Руслану пора ложиться спать. Она пожелала мужчинам спокойной ночи и ушла с сыном в каюту. 2/22

Тимофей Николаевич и Вадим сидели до двух часов в ресторане, и Вадим узнал много полезной информации об озере.

На следующий день они остановились на острове Ольхон и устроили пикник у берега. Экипаж раздал информацию о защите окружающей среды, и туристы начали культурно отдыхать.

визг	a shriek
удивля́ться / удиви́ться	to be surprised
пря́таться / с-	to hide
приса́живаться / присе́сть	to sit down (with others)
экзоти́ческий	exotic
ве́жливый	polite
причи́на	reason
кра́йне	extremely
поско́льку	to the extent that
постоя́нно	constantly
подро́бно	in detail
ра́доваться / об-	to be pleased, glad
куса́ть / по-	to bite
устра́ивать / устро́ить	to arrange, to suit
раздава́ть / разда́ть	to give out
культу́рно	in a well-behaved way

Остров “Ольхо́н”

 2/23

Дорогие друзья!

Вы находитесь в уникальном месте Земли - на побережье пока ещё самого чистого озера Байкал. Долго ли ему оставаться таким - зависит в большой степени и от нас с вами. Вот несколько советов, которые помогут сохранить красоту и уникальность байкальской природы:

Мыть посуду, стирать, чистить овощи или рыбу лучше подальше от берега, не у са́мой воды. Тогда грязная вода, проходя через почвенный слой, будет фильтроваться и попадать в озеро уже чистой.

Пищевые отходы лучше засыпать землёй, чтобы образовавшийся перегной способствовал улучшению структуры почвы.

Не используйте синтетические моющие средства: они наносят гораздо бо́льший вред всему живому, чем мыло.

Ни в коем случае не сжигайте пластиковые упаковки: при их горении образуются очень токсичные вещества. Безопаснее для природной среды было бы оставить их в мусорной яме, но это значит - навечно. Лучше увезите их с собой в город, где их можно переработать. (Попробуйте не привозить с собой пластмассу. Например, сухие продукты кладите в тканевые мешочки.)

Консервные банки тоже лучше всего увезти с собой. Они загрязняют почву тяжёлыми металлами.

Помните, что многие цветы, которые вы встречаете, уже занесены в Красную Книгу, и ваше желание собрать букет может способствовать их исчезновению.

Друзья! Старайтесь, чтобы после вашего отдыха на месте стоянки осталось как можно меньше следов вашего пребывания!

Байкальская Экологическая Волна

Find the Russian for:
depends on you and us
to wash the dishes
the dirty water
the soil layer
to be filtered
food waste
to sprinkle with soil
compost
improvement
the soil structure
synthetic washing products
harm
soap
plastic packaging
when they are burned
toxic substances
a rubbish pit
for ever
to process
plastic
cloth bags
food cans
heavy metals
a bouquet
their disappearance
traces
your stay

Темы для дискуссии:

1. Пригото́вьте у́стную презента́цию о том, чего́ не на́до де́лать во вре́мя пикника́ о́коло о́зера Байка́л, и почему́.
2. Как Вы ду́маете, что тако́е “Кра́сная Кни́га”?

Байкал - статистика и факты

Данные взяты из "Байкал: Атлас. Москва 1993г."

Озеро Байкал расположено в Восточной Сибири на территории Иркутской области и Республики Бурятия.
Максимальная ширина - 79,5 км.
Минимальная - 25 км.
Длина - 636 км.
Максимальная глубина - 1637 м., средняя - 758 м.
Площадь - 31500 км^2.
Объём водной массы - 23000 км^3.
(20% мировых запасов пресной воды)
Высота над уровнем моря - 454 м.
Максимальная прозрачность - 40 м.
Количество островов - 22.
В озеро впадает более 300 рек и ручьёв.
Из озера вытекает одна река - Ангара.
Площадь водосборного бассейна - 588000 км^2.
В Байкале обитает 1550 видов и подвидов животных.
Из рыб - славится байкальский омуль.
Из животных - только здесь обитает байкальская нерпа.

Байкальская нерпа - единственный в мире тюлень, который живёт в пресной воде.

В декабре 1996 года Байкал был включён в Список объектов мирового природного наследия **ЮНЕСКО**.

Байкальская Экологическая Волна - неправительственная организация, создана в 1990 году для защиты озера. Её миссия - содействовать переходу общества на путь устойчивого развития, когда потребности человека согласованы с возможностями природы и когда окружающая среда остается в максимальной степени сохраненной.

Baikal ___________ Wave is a _____________ _________________ organisation ________ in 1990 for the ___________________.
Its ________ is to enable the transformation of ___________ in the direction of sustainable ____________, in which the ____________ of _____ are in accord with the ________________ of ___________, and in which the __________________ is ___________ to the ____________ extent.

Для дополнительной информации смотрите: http://www.baikalwave.eu.org

2/24 **Озеро Байкал**

В центре Азиатского континента находится озеро Байкал - самое древнее и, наверное, самое загадочное озеро мира. Для россиян это не просто озеро, это - «славное море, священный Байкал».

Вокруг озера - горные хребты высотой до 3000 метров и впадины, составляющие Байкальскую рифтовую зону. Озеро существует около 25 миллионов лет. Это самое глубокое (1642м.) озеро в мире, содержащее 1/5 мировых запасов пресных вод.

Воды Байкала отличаются исключительной прозрачностью и чистотой.

Одна из особенностей Байкала заключается в богатстве и своеобразии его флоры и фауны. Из 2635 известных видов и подвидов растений и животных Байкала 80% являются эндемичными.

Несмотря на ценность и уникальность Байкала, в результате деятельности человека происходит его загрязнение. Самый большой загрязнитель озера - Байкальский целлюлозно-бумажный комбинат (БЦБК). В двадцати километровом пятне в районе сброса вод комбината исчезли эндемичные водоросли и моллюски. А атмосфера вокруг Байкала загрязняется промышленностью Иркутской области.

www В последнее время возникла новая угроза Байкалу. Существуют планы строительства магистрального нефтепровода через водосборный бассейн Байкала на Дальний Восток.

Байкал привлекает всё больше внимания международного сообщества. Это связано не только с интересом к Байкалу как к туристическому центру, но и с осознанием значения озера как уникального природного объекта.

Guess the meanings:
дре́вний
хребе́т
впа́дина
земно́й шар
запа́с
пре́сная вода́
прозра́чность (f.)
своеобра́зие
подви́д
загрязни́тель
во́доросли
моллю́ски
нефтепрово́д
соо́бщество

2/25 **Слушайте!**

Прослу́шайте разгово́р с Ми́шей Куку́шкиным о Байка́ле.

1. Найди́те сле́дующие выраже́ния:
   a huge space - the cleanliness of the lake itself - you can only hear the wind
   the waves, how they beat against the shore - global warming - local residents
   it freezes less than before - it has increased

2. Что вы мо́жете узна́ть из разгово́ра с Ми́шей, о чём не напи́сано в те́ксте на э́той страни́це?

Темы для дискуссии:

1. Почему́ ва́жно не вреди́ть окружа́ющей среде́ о́зера Байка́л?
2. Как Вы ду́маете, на́до ли запрети́ть тури́зм в райо́не Байка́ла для сохране́ния чистоты́ его́ приро́ды?
3. Каки́е вопро́сы до́лжен зада́ть представи́тель Всеми́рного ба́нка, жела́я узна́ть, был ли испо́льзован креди́т на су́мму 22,4 млн. до́лларов в интере́сах защи́ты о́зера? (Смотрите текст на странице 83.)

Напиток «Байкал»

Пишет Таня Нусинова

 2/26

Когда в Советском Союзе не продавалось ничего, кроме газированного напитка «Буратино» с карамельным вкусом, всем детям очень хотелось попробовать настоящую Кока-Колу. Её можно было увидеть в кино, о ней можно было услышать от счастливого одноклассника из дипломатической семьи, а попробовать - ни-ни!

Вот тогда-то и появился напиток «Байкал», удивительно похожий на свой американский прототип. Цвет – тот же, вкус – а кто его знает? Ведь настоящую Кока-Колу никто не пробовал. Маленькие бутылочки с этикеткой, на которой было изображено знаменитое озеро, раскупались моментально, хоть и стоили дороже «Буратино».

Теперь другие времена, в любом московском гастрономе можно купить Кока-Колу, Пепси-Колу и множество других, только вот напиток «Байкал» найти трудно. А жаль, он был вкуснее, теперь-то мы это знаем, и полезнее, потому что делался из восьми натуральных экстрактов растений и трав.

Но напиток «Байкал» не полностью забыт. У российского потребителя огромная тяга к товарам прошлого. Сейчас частенько можно увидеть на полках магазинов продукты из детства. Вот и напиток «Байкал» обещает вернуться.

Find the Russian for:	to sell out
to be sold	immediately
carbonated	better for you
Pinocchio	an extract
a taste	plants and herbs
real, genuine	not totally
happy, lucky	forgotten
no chance!	consumer
suprisingly	attraction, desire for
prototype	goods of the past
to try, to taste	shelf
label	

Детская игрушка

Вопросы

1. Како́й вкус у напи́тка «Бурати́но»?
2. Почему́ все на́чали покупа́ть напи́ток «Байка́л»?
3. Почему́ лю́ди не пьют «Байка́л» сего́дня?

Темы для дискуссии:

1. Как Вы ду́маете, почему́ напи́тки америка́нского происхожде́ния ста́ли бо́лее популя́рными, чем оте́чественные.
2. Как Вы ду́маете, ста́рые напи́тки на са́мом де́ле бы́ли бо́лее вку́сными и поле́зными по сравне́нию с совреме́нными напи́тками и́ли э́то про́сто ностальги́я?!
3. Есть шанс, что напи́ток «Байкал» ста́нет популя́рным на за́паде?

Present participles

These were presented in Ruslan 2 lesson 5. To form the present participle, take the last letter -т off the end of the third person plural of the present tense of the verb and add the ending -щий:

окружа́ющая среда́ - the environment
напада́ющий - a forward (football etc.)
сидя́щие - people sitting

Как Вы думаете, где висит это объявление?

Present passive participles

These are mainly found in written texts. Examples:

у́жин, подава́емый в рестора́не - the supper served in the restaurant
маши́ны, поставля́емые в Росси́ю - cars being delivered to Russia

The present passive participle is formed by adding adjectival endings to the first person plural of a transitive verb.

> Find an example of a present passive participle in the text re the БЦБК, page 83.

Some present passive participles have become adjectives in their own right, and these are in frequent use:

люби́мый - loved, favorite
обвиня́емый - the accused, the defendant
уважа́емый - respected, dear (start of a formal letter)

There are a considerable number of negative adjectives modelled on the present passive participle:

незабыва́емый - unforgettable
непобеди́мый - invincible
незави́симый - independent

Настал день долгожданной экскурсии.
The day of the long-awaited excursion arrived.

The verb настава́ть / наста́ть is used for "to come" when you are talking about a time. It is used in the third person only.

каюта на двоих - a cabin for two

The collective numerals двое, трое etc. decline in this instance:

Он разда́л ка́рты на трои́х. He dealt the cards for three.
Он подели́л де́ньги на восьмеры́х. He divided the money among eight.

Они ужинали втроём. They had the evening meal three together.

втроём means "three together", there is no equivalent English expression.
Words of this type are: вдвоём, втроём, вчетверо́м, впятеро́м etc., up to вдесятеро́м.

Во́дку лу́чше пить втроём. It is better to drink vodka three people together.
семья́ втроём - ménage à trois

бочка из-под рыбы - a fish barrel

из-под plus the genitive is used to denote the former usage of a now empty container.

буты́лка из-под вина́ - a wine bottle
буты́лка вина́ - a bottle of wine

Люду устроил ужин. The supper suited Lyuda.
устра́ивать / устро́ить - to suit - is followed by the accusative case.

овощной салат для неё само́й - vegetable salad for herself
сам - oneself - has a full declension with stressed endings:
    е́сли не с сами́м дире́ктором - if not with the director himself
See lesson 9 for the full declension of сам.
Do not confuse сам with са́мый (below, page 104).

они предпочли - they preferred
предпочита́ть / предпоче́сть - to prefer / choose - has the following past perfective endings:
    я, ты, он предпочёл
    я, ты, она́ предпочла́
    мы, вы, они́ предпочли́

мир
мир has two separate meanings:
"the world" or "peace".
    Ми́ру мир!   Peace to the world!

Толщина льда достигает полу́тора метров.
The thickness of the ice reaches one and a half metres.
полтора́ has a unique declension.
The masculine and neuter nominative and accusative is полтора́.
The feminine nominative and accusative is полторы́.
All the other cases, masculine, feminine and neuter are the same: полу́тора

полтора́ and полторы́ are followed by the genitive singular
полу́тора is followed by the genitive plural:

полтора́ го́да	-	one and a half years
о́коло полу́тора лет	-	about one and a half years
полторы́ мину́ты	-	one and a half minutes
о́коло полу́тора мину́т	-	about one and a half minutes
Да́йте полтора́ кило́!		Give me one and a half kilos.

There is also the compound numeral полтора́ста - "one and a half hundred", which has the genitive полу́тораста:
    о́коло полу́тораста лет - about 150 years

толщина льда - the thickness of the ice
лёд - "ice" - loses the ё when it adds endings, but keeps a soft sign in its place.
This happens with a few nouns only, where the ё is preceded by л, н or р.

достигать / достичь - to reach
This takes the genitive case. The past perfective endings are:
    я, ты, он дости́г
    я, ты, она́ дости́гла
    мы, вы, они́ дости́гли

За Байкал ссылали многих революционеров.
Many revolutionaries were exiled beyond Baikal.
за with the accusative can mean "beyond" or "behind" with movement.
Они́ се́ли за стол. They sat down at the table.

Сходи-ка за кремом! Go and fetch the cream!
The -ка particle is used with imperative forms to add encouragement, especially when talking to children or with very close friends:
Дай-ка посмотре́ть! Let's have a look!
Принеси́-ка ча́шку! Bring me the cup!

Скажи-ка дядя, ведь не даром *Tell me, old man, surely not for nothng*
Москва, спалённая пожаром, *Was Moscow, burning with a fire,*
Французу отдана? *Given away to the Frenchman?*
(М.Ю.Лермонтов, из стихотворения "Бородино")

Он плыл на теплоходе. He was sailing on the boat.
The verb плыть / поплы́ть - "to sail", and verbs with different prefixes derived from it, can be used for the boat itself, for the people sailing on it, or for people swimming:
Теплохо́д плыл по о́зеру. The boat was sailing on the lake.
Она плыла́ на теплохо́де. She was sailing on the boat.
Он переплы́л ре́ку. He swam across the river.
As a verb of motion it also has the indefinite form пла́вать:
Они пла́вали в Му́рманск два ра́за в год.
They used to sail to Murmansk twice a year.

Он плыл на том же самом теплоходе. He was sailing on the same boat.
тот же са́мый means "the same". Both тот and са́мый decline with the noun that they qualify.
в том же са́мом рестора́не - in the same restaurant
с те́ми же са́мыми людьми́ - with the very same people

Не́куда было спрятаться. There was nowhere to hide.
не́куда, не́где, не́когда and не́зачем can be used with бы́ло to refer to the past:
Не́когда бы́ло звони́ть тебе́. There was no time to ring you.

Из 2635 известных видов и подвидов ...
Of the 2635 known species and sub-species ...
The prefix под- is used to convey "sub-" or "under-":
подва́л - basement, cellar
подоко́нник - window sill
подво́дная ло́дка - submarine

Упражнения

1. Вопросы к тексту
а. Како́в пейза́ж по доро́ге от Ирку́тска до о́зера Байка́л?
б. Как до́лго они бу́дут на теплохо́де?
в. О чём говори́тся в инстру́кции по безопа́сности?
г. Зимо́й поезда́ хо́дят по Байка́лу?
д. Ле́нина сосла́ли за Байка́л?
е. Почему́ Вади́м захоте́л пое́хать в Байка́льск?
ж. Како́й о́бщий интере́с у Тимофе́я Никола́евича и Вади́ма?
з. Как вы ду́маете, почему́ Лю́да ничего́ не сказа́ла о рабо́те му́жа?

2. Insert the correct form of полтора

а. Он ждал авто́буса о́коло ________________ часо́в.
б. Мужчи́на вы́пил __________________ буты́лки вина́.
в. Ни́на жила́ там о́коло _________________ лет.
г. Мы прошли́ пешко́м _________________ киломе́тра.
д. Его рост о́коло __________________ ме́тров.

3. Insert the correct form of тот же самый

а. Ка́ждый день он е́здил на _____________________ по́езде.
б. Степа́н писа́л о _____________________ дела́х, что и Генна́дий.
в. Мы шли по _______________________ доро́ге, что вчера́.
г. Ка́ждую суббо́ту в ци́рке выступа́л ____________________ арти́ст с ____________________ ассисте́нткой, а в за́ле мо́жно бы́ло уви́деть ____________________ зри́телей.
д. Ка́ждую суббо́ту Ната́ша надева́ла _____________________ ю́бку.

4. Insert the correct form of лёд

а. Он пьёт ви́ски со ___________.
б. Маши́на идёт по ___________.
в. Заво́ду ну́жно сто килогра́ммов ____________ в ме́сяц.
г. Она́ поскользну́лась на ___________.
д. _________ уже́ расста́ял.
е. Когда́ ми́нус со́рок, _________ не тако́й ско́льзкий.

5. Choose verbs to fill the gaps, adding past tense endings

а. Озеро _________________ в семидесяти́ киломе́трах от го́рода.
б. Они́ ___________________ во́время.
в. Ско́ро ___________________ тот день, кото́рого он так до́лго _________________.
г. Они́ __________________ на борт теплохо́да.

прие́хать - ждать - подня́ться - наста́ть - находи́ться

6. Choose words to fill the gaps, change the endings as necessary

а. ______________ стоя́л у _________________.
б. На нём бы́ли то́лько _________________.
в. У них ко́нчился _______________ проду́ктов.
г. Нас беспоко́ит _______________ о́зера.
д. Запиши́те ва́ши замеча́ния в кни́гу _______________!

жа́лоба - запа́с - пла́вки - при́стань - теплохо́д - загрязне́ние

7. Choose words to fill the gaps, change the endings as necessary

а. По воскресе́ньям они е́здили за́ __________________.
б. Он всегда́ голосова́л за _________________.
в. Мы сиде́ли за ___________________.
г. Огоро́д нахо́дится за _________________.
д. Ма́льчик пошёл за ___________________.
е. На́до быть в аэропорту́ за _________________ до вы́лета.
ж. Спаси́бо за _________________, но я зна́ю, что де́лать.

дом - консерва́торы - сове́т - сто́лик - город - проду́кты - час

8. Complete the sentences with a suitable form of плыть, поплыть or плавать chosen from the list below

а. Они́ ______________ весь день на юг, но не ви́дели бе́рега.
б. В де́тстве он очень хорошо́ ______________.
в. Ло́дка ______________ к при́стани.
г. Но́вые подво́дные ло́дки ______________ на глубине́ двухсо́т ме́тров.
д. Они́ ______________ на корабле́ два дня наза́д.
е. Не́рпа ______________ быстре́е крокоди́ла.
ж. Теплохо́д ______________ ка́ждый день в три часа́.

пла́вают - приплыва́ет - плы́ли - пла́вал - приплы́ла - приплы́ли - пла́вает

9. Choose verbs to fill the gaps, adding past tense endings
а. Я ______________, когда́ она́ ______________ его́ и́мя.
б. Революционе́ры ______________ в избе́.
в. Незнако́мый мужчи́на ______________ и ______________.
г. Он ______________ в дере́вню, где ______________.
д. Ле́нин и Тро́цкий не ______________ о́бщего языка́.
е. В э́ту ночь его́ си́льно ______________ комары́.

предста́виться - присе́сть - спря́таться - верну́ться - найти́
произнести́ - роди́ться - покуса́ть - удиви́ться

Языковая практика

1. Устная работа в группе

Зада́йте вопро́сы и расскажи́те друг дру́гу об экску́рсии и́ли о пое́здке, кото́рую Вы неда́вно соверши́ли.
- Куда́ Вы е́здили?
- С кем Вы е́здили? На како́м тра́нспорте? Ско́лько вре́мени Вы е́хали?
- Ско́лько вре́мени Вы там бы́ли?
- Что Вы там де́лали, ви́дели?
- Вы бы порекомендова́ли э́ту экску́рсию друзья́м. Почему́? Почему́ нет?

Реши́те, у кого́ в гру́ппе была́ са́мая интере́сная экску́рсия.

2. Устная работа в парах. Чрезвычайная ситуация

Зна́ете ли Вы, что на́до де́лать при пожа́ре в Ва́шей шко́ле, ко́лледже, аудито́рии и т.д.?

- На́до ли про́бовать потуши́ть пожа́р?
- Что на́до сде́лать пе́ред тем, как поки́нуть помеще́ние?
- Куда́ на́до позвони́ть, по како́му но́меру? (А е́сли в Росси́и?)
- Где на́до собра́ться? Как туда́ пройти́? Что там на́до де́лать?

Пожарная машина

3. Презентация о Байкале

Приготóвьте ýстную презентáцию об óзере Байкáл с пóмощью фотогрáфий на э́той странúце.

Дорога недалеко от Байкала

Дом в Иркутской области

Вечер на пристани

Пристань в Листвянке

На острове Ольхон

Рынок на берегу

Как красиво!

Как некрасиво!

Другие фотографии Вы найдёте на сайте <www.magicbaikal.ru>

4. Устная работа в парах. Проект фильма о Байкале

Обсудúте вопрóс о том, что бы Вы хотéли включúть в 40-минýтный видеофúльм о загрязнéнии óзера Байкáл.

Решúте слéдующие вопрóсы :

- Для какóй аудитóрии бýдет э́тот фильм?
- В какóе врéмя гóда Вы хотúте снять егó?
- Какúе бýдут глáвные сцéны фúльма и скóлько минýт нýжно уделúть на кáждую из них?

5. Пишите! Проект фильма о Байкале

Напишúте отчёт о Вáшем фúльме со слéдующими пýнктами:

- óбщая идéя фúльма
- глáвные сцéны
- глáвные дéйствующие лúца и вопрóсы, котóрые нáдо им задáть
- бюджéт фúльма и срок егó создáния.

Ресторан "Баргузин"

Холодные блюда и закуски

Икра лососёвая с лимончиком и маслом	170-00
Омуль байкальский солёный с картошечкой и лимончиком, маслом, оливками	90-00
Ассорти рыбное с овощами (сёмга, омуль, креветки, икра, огурцы, лимон, помидоры, оливки)	300-00

Салаты

Овощной салат	40.00
Салат "Русский" с языком (язык, помидоры, огурец, лук, перец болгарский)	70-00

Супы

Уха Боярская	90-00
Борщ украинский	80-00

Вторые блюда

Отбивная из телятины в сливочном соусе	250-00
Свинина "Аппетитная" с клюквой, огурцом, помидором, перцем, оливками	260-00
Шашлык из сёмги	290-00
Омуль байкальский запечённый с грибочками и картошкой	220-00

Сладкие блюда

Мороженое с кедровыми орехами и клюквой	80-00

Напитки

"Байкал" (местная кола из восьми натуральных экстрактов растений и трав)	20-00
Пиво иркутское	55-00
Чай на травах "по-купечески"	30-00

Крепкие алкогольные напитки заказывайте в баре!

6. Составьте диалоги!

а. Лю́да де́лает зака́з в рестора́не «Баргузи́н».

Люда:	Официантка:
Лю́да спра́шивает у официа́нтки, всё ли у них есть, что ука́зано в меню́.	Официа́нтка отвеча́ет, что, к сожале́нию, ухи́ Боя́рской у них сего́дня нет, а шашлы́к из сёмги она брать не рекоменду́ет, потому́ что он не пе́рвой све́жести. * Зато́ у них сего́дня есть рассы́пчатая гре́чневая ка́ша с молоко́м, кото́рая не ука́зана в меню́.
Лю́да спра́шивает, что у них есть попи́ть из безалкого́льных напи́тков.	Официа́нтка рекоменду́ет охлаждённый тонизи́рующий напи́ток «Байка́л», говоря́, что он сде́лан из натура́льных экстра́ктов расте́ний и трав, без каки́х-либо иску́сственных доба́вок или краси́телей.
Лю́да реша́ет, что она́, пожа́луй, съест запечённого о́муля с гри́бочками, а Русла́н бу́дет есть гре́чневую ка́шу с молоко́м. Оба они́ бу́дут пить напи́ток «Байка́л». А на десе́рт Русла́н хо́чет моро́женое с кедро́выми оре́хами и клю́квой, а Лю́да - чай на тра́вах «по-купе́чески».	Официа́нтка спра́шивает, что они́ зака́жут для Тимофе́я Никола́евича.
Лю́да отвеча́ет, что он мо́ет ру́ки. Он сам себе́ зака́жет, когда́ вернётся к столу́.	

* “он не первой свежести” Выражение взято из романа М.А.Булгакова «Мастер и Маргарита» об осетрине в ресторане театра “Варьете”: «свежесть бывает только одна - первая, она же и последняя». Редактор.

указа́ть	to indicate
уха́	fish soup
сёмга	salmon
све́жесть (f.)	freshness
рассы́пчатый	crumbly
гре́чневый	buckwheat (adj)
запечённый	baked
кедро́вый	Siberian pine, cedar (adj.)
клю́ква	cranberries
тонизи́рующий	energising
иску́сственный	artificial
краси́тель (m.)	colouring agent
мыть	to wash

б. Для гру́ппы из трёх челове́к.

Тимофе́й Никола́евич, верну́вшись к столу́, де́лает свой зака́з. Он хо́чет взять сёмгу, но Лю́да отгова́ривает его́ от э́того.

отгова́ривать / отговори́ть	to dissuade

в. Соста́вьте разгово́р Тимофе́я Никола́евича с Русла́ном о Байка́ле.

Тимофей Николаевич:	**Руслан:**
Т.Н. спра́шивает Русла́на, слы́шал ли он когда́-нибу́дь об о́зере Байка́л.	Русла́н отвеча́ет, что он, коне́чно, зна́ет про него́, поско́льку они́ его́ проходи́ли в шко́ле по геогра́фии, но он не обраща́л внима́ния на объясне́ние учи́тельницы и получи́л тро́йку за тот уро́к, потому́ что ря́дом с Байка́лом он написа́л го́род Яку́тск вме́сто Ирку́тска.
Т.Н. смеётся и говори́т, что Яку́тск нахо́дится гора́здо се́вернее и там намно́го холодне́е зимо́й.	Русла́н отвеча́ет, что тепе́рь он э́то зна́ет.
Т.Н. спра́шивает Русла́на о том, зна́ет ли он разме́ры о́зера Байка́л.	Русла́н отвеча́ет, что о́зеро о́чень большо́е.
Т.Н. соглаша́ется. Он сра́внивает длину́ о́зера с расстоя́нием ме́жду Москво́й и Петербу́ргом. Т.Н. спра́шивает Русла́на, что он зна́ет о приро́де Байка́ла.	Русла́н говори́т, что здесь есть кака́я-то уника́льная не́рпа и ра́зные ры́бы, наприме́р, о́муль.
Т.Н. говори́т, что ры́ба есть, но её мо́жет стать ме́ньше и она́ бу́дет ху́же, е́сли мы не бу́дем забо́титься об окружа́ющей среде́ и бу́дем продолжа́ть загрязня́ть о́зеро.	

тро́йка - low mark in Russian 1-5 mark system

намно́го	-	a lot
разме́ры	-	measurements
сра́внивать	-	to compare
расстоя́ние	-	distance
забо́титься	-	to worry about

г. Соста́вьте разгово́р Тимофе́я Никола́евича с Вади́мом.

Тимофей Николаевич:	**Вадим:**
Т.Н. интересу́ется, заче́м Вади́м прие́хал на Байка́л.	Вади́м объясня́ет, заче́м он прие́хал.
Т.Н. говори́т, что его́ то́же беспоко́ит пробле́ма окружа́ющей среды́. Он интересу́ется, где бу́дет пока́зываться фильм Вади́ма и смо́жет ли он получи́ть доста́точный резона́нс в СМИ.	Вади́м отвеча́ет, что он наде́ется на пока́з фи́льма по центра́льному телеви́дению, что должно́ привле́чь внима́ние широ́кой пу́блики.
Т.Н. сомнева́ется, что фильм Вади́ма ока́жет влия́ние на дире́ктора комбина́та, у кото́рого мно́го ра́зных пробле́м и забо́т. Т.Н. добавля́ет, что вопро́с мо́гут реши́ть то́лько о́чень больши́е де́ньги. Одна́ко он жела́ет Вади́му успе́ха в э́том предприя́тии.	Вади́м благодари́т его́ и говори́т, что он испо́льзует в своём фи́льме эксклюзи́вные материа́лы, ни ра́зу до э́того не демонстри́ровавшиеся.

Славное море - священный Байкал!

Музыка народная. Слова Д. Давыдова.
Поёт Валерий Поляков.

2/27

Славное море - священный Байкал!
Славный корабль - омулёвая бочка.
Эй, Баргузин, пошевеливай вал,
Молодцу плыть недалечко.

Долго я тяжкие цепи носил,
Долго бродил я в горах Акатуя,
Старый товарищ бежать пособил,
Ожил я, волю почуя.

Шилка и Нерчинск не страшны теперь,
Горная стража меня не поймала.
В дебрях не тронул прожорливый зверь,
Пуля стрелка миновала.

Шёл я и в ночь, и средь белого дня,
Вкруг городов озираяся зорко.
Хлебом кормили крестьянки меня,
Парни снабжали махоркой.

Славное море - священный Байкал!
Славный мой парус - кафтан дыроватый.
Эй, Баргузин, пошевеливай вал,
Слышатся грома раскаты.

Glorious sea - Holy Baikal!
Glorious boat - a fish barrel.
Ey, Barguzin, move the wave,
The young hero has not far to go.

For a long time I carried heavy chains
For a long time I roamed the hills of Akatu.
An old friend helped me to escape,
I came back to life, sensing freedom.

Shilka and Nerchinsk do not frighten me now.
The hill guard did not catch me.
In the thickets the ravenous beast did not touch me.
The marksman's bullet missed me.

I walked in the night and in broad daylight,
Around the towns, keeping a sharp lookout.
The peasant girls gave me bread,
The lads supplied me with tobacco.

Glorious sea - Holy Baikal!
My glorious sail - a shirt with holes.
Ey, Barguzin, get the wave moving,
I can hear the peals of the thunder.

Баргузи́н	The name of both a wind and a river flowing into Lake Baikal from the east.
Акату́й	Hilly region east of Lake Baikal.
Ши́лка и Не́рчинск	Names of prison camps.

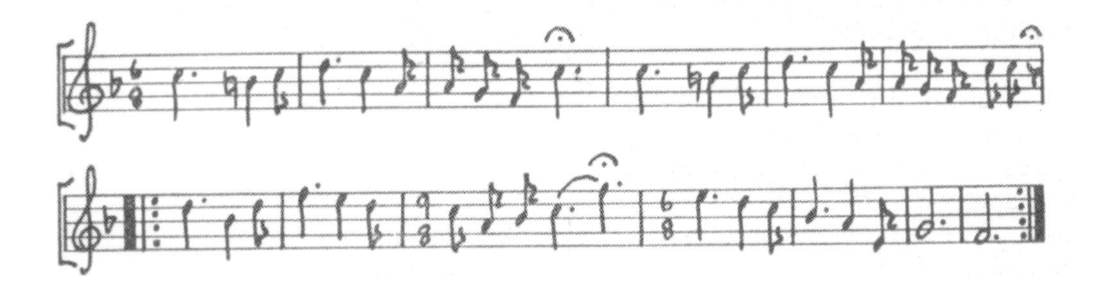

Словарь к диалогу 6г.

беспоко́ить	-	to worry	сомнева́ться	-	to doubt
доста́точный	-	sufficient	оказа́ть влия́ние на	-	to have an effect on
СМИ	-	the mass media	успе́х	-	success
наде́яться	-	to hope	предприя́тие	-	venture
пока́з	-	showing	демостри́роваться	-	to be shown
привле́чь	-	to attract			

Uses of the genitive

to denote possession: дáча сестры́ - маши́на отцá
to translate "of": загрязнéние óзера - конéц рабóчего дня
for measurement: мáло дéнег - литр вóдки
after numbers 2, 3, 4, 22, 23, etc два рáза - три сестры́
after higher numbers пять столóв - двенáдцать разбóйников
in comparisons: Онá молóже брáта.
for descriptive attributes: час дня
after negatives: Нет проблéм! Не бýдет э́того.
Никогó нé было.
Я не ви́жу дóма. I can't see a house.
but: Я не ви́жу дом. I can't see the house.
(use the accusative for "the")

after certain prepositions, including: у, óколо, от, из, с (meaning "from"), прóтив, до, вóзле, ми́мо, вокрýг, среди́.
after certain verbs, including: желáть, добивáться, ждать, ожидáть, проси́ть, трéбовать, боя́ться, избегáть.
Желáю вам успéхов!
Жду результáта. (any result, not sure which)
but: Жду автóбус нóмер 35. (that bus only)

The partitive genitive is used to express "some", mainly with foodstuffs, but also with certain other nouns: Он вы́пил лимонáда. He drank some lemonade.
but: Он вы́пил лимонáд. He drank the lemonade.
(use the accusative for "the")

In the animate accusative, genitive endings are used for animate objects in the accusative case. This happens with the masculine singular and plural and the feminine plural of animate nouns, and with adjectives that qualify them.
Он читáет Булгáкова. He is reading Bulgakov.
Он лю́бит всех жéнщин. He loves all women.

The genitive plural endings of nouns:

Most masculine nouns have the ending -ов	мнóго горóдов
Masculine nouns in -й have the ending -ев	мнóго трамвáев
Masculine nouns in -ж, -ч, -ш, -щ have the ending -ей	мнóго клещéй
Masculine nouns in -ь have the ending -ей	мнóго дней
Feminine nouns lose the -а ending,	мнóго книг
but sometimes a fleeting -е- is added	мнóго дéвушек
Feminine nouns in -я preceded by a consonant replace -я with -ь	мнóго дынь (a lot of melons)
Feminine nouns in -ья have the ending -ей	мнóго семéй
Feminine nouns in -ия have the ending -ий	мнóго фотогрáфий
Feminine nouns in -ь have the ending -ей	мнóго возмóжностей
	мнóго ночéй
Neuter nouns in -о lose this letter	мнóго болóт
Most neuter nouns in -е have the ending -ей,	мнóго морéй
but some lose the -е	мнóго чудóвищ (a lot of monsters)
Neuter nouns in -ие and -ье have the ending -ий	мнóго здáний
Neuter nouns in -мя have the ending -мён	мнóго имён

What is the nominative singular of the nouns in the examples?

And there are various variations and exceptions, e.g.
много солдáт, облакóв, дерéвьев, стýльев - пять человéк - 220 вольт
много сосéдей, сестёр, брáтьев, и т.д.

1. Игра в группе

Пригото́вьте ка́рточки с существи́тельными во мно́жественном числе́.
Наприме́р: города́, су́мки, буты́лки, о́кна, солда́ты, и т.д.
Переверни́те ка́рточки и положи́те на стол.
Пе́рвый студе́нт берёт ка́рточку (напр., "города́") и говори́т:
"У нас мно́го городо́в".
Второ́й студе́нт берёт другу́ю ка́рточку (наприме́р "су́мки") и говори́т:
"У нас мно́го городо́в и мно́го су́мок".
И т.д. по о́череди, до после́дней ка́рточки.

2. Кто может получить бесплатный билет в парк Горького в Москве?

ЦЕНА ВХОДНОГО БИЛЕТА
В ЦПКиО им. М.ГОРЬКОГО

ВЗРОСЛЫЙ БИЛЕТ 10 РУБ.
ДЕТСКИЙ БИЛЕТ 5 РУБ.

ДЛЯ ДЕТЕЙ ДЕТСКИХ ДОМОВ, ИНТЕРНАТОВ, ИНВАЛИДОВ И УЧАСТНИКОВ В.О.В. И ВОЙНЫ В АФГАНИСТАНЕ, УЧАСТНИКОВ ЛИКВИДАЦИИ АВАРИИ НА ЧАЭС, ДЛЯ ИНВАЛИДОВ ДЕТСТВА /ПРИ ПРЕДЪЯВЛЕНИИ СООТВЕТСТВУЮЩЕГО ДОКУМЕНТА/ ВХОД В ПАРК – БЕСПЛАТНЫЙ.
МНОГОДЕТНЫМ МАТЕРЯМ ВХОД ПО ЛЬГОТНОМУ ТАРИФУ.
ВХОДНОЙ БИЛЕТ СОХРАНЯТЬ ДО КОНЦА ПОСЕЩЕНИЯ.

уча́стник - participant
В.О.В. - Вели́кая Оте́чественная Война́
Ч.А.Э.С. - Черно́быльская а́томная электроста́нция

3. Listen to the extracts from songs and poems and fill in the gaps. 2/28

а. Широка страна моя родная,
Много в ней __________, ___________ и ___________.
Я другой такой страны не знаю,
Где так вольно дышит человек!
....

б. Как много ____________ хороших!
Как много ласковых __________!
Но лишь одно из них тревожит,
Унося покой и сон,
Когда влюблён....
....

в. Сон приходит на порог,
Крепко-крепко спи ты!
Сто _________, сто ____________
Для тебя открыты.
....

г. На берегу пустынных ____________
Стоял он, ____________ великих полн,
И вдаль глядел ...
....

д. Спой нам, ветер, про славу и смелость,
Про ___________, __________, ___________, -
Чтоб сердце загорелось,
Чтоб каждому хотелось
Догнать и перегнать __________!

во́льно	-	freely
дыша́ть	-	to breath
трево́жить	-	to bother
уноси́ть	-	to carry away
поко́й	-	peace
влюблён	-	in love
поро́г	-	threshold
пусты́нный	-	vast
волна́	-	a wave
ду́ма	-	a thought
сла́ва	-	glory
сме́лость (f.)	-	bravery
учёный	-	scientist
боéц	-	fighter
загоре́ться	-	to catch fire
догна́ть	-	to catch up
перегна́ть	-	to overtake

4. Decide which is which of the extracts in question 3:

Пéрвые стрóки поэ́мы А.С.Пу́шкина “Мéдный Всáдник”. _____

Романти́ческая пéсня “Сéрдце” из кинофи́льма “Весёлые ребя́та”. _____

Патриоти́ческая пéсня из кинофи́льма “Цирк”. _____

Колыбéльная пéсня из кинофи́льма “Цирк”. _____

Пéсня “Весёлый вéтер” из кинофи́льма "Дéти капитáна Грáнта". _____

Ruslan Russian Songbook
ISBN1899785261

5. Proverbs with genitive and animate accusative forms:

	Как по-русски?
“Из двух зол надо выбирать меньшее!”	*an evil*
“Одним выстрелом убить двух зайцев.”	*a hare*
“Кто в Москве не бывал, красоты не видал.”	*beauty*
“Волков бояться - в лес не ходить.”	*a wolf*
“Бабий ум лучше всяких дум.”	*a thought*
“Где волк, тут стада не паси.”	*a herd*
“Чем дальше в лес, тем больше дров.”	*firewood (plural only)*
“Глупого учить - что мёртвого лечить.”	*a stupid person, a dead person*

6. “Кочерга”

Михаил Зощенко написал известный рассказ “Кочерга” о том, как даже россияне не всегда знают все трудные формы склонения существительных в их родном русском языке. В рассказе один чиновник должен заказать пять кочерёг. Не зная, как склоняется слово “кочерга”, он спрашивает коллег, но получает разные варианты ответа. Он решил послать на склад следующий заказ:

“Наше учреждение, имея шесть печей, обходилось всего лишь одной кочергой. В силу этого просьба выдать ещё пять штук, для того, чтобы на каждую печку имелась бы одна самостоятельная кочерга.”
Однако потом решили позвонить матери секретарши чиновника, которая уверила их, что надо писать так: “пять кочерёг”.
Бумажка была возвращена назад с резолюцией заведующего складом:
“Отказать за неимением на складе кочерёжек”.

Mikhail Zoschenko wrote the ___________ ______________ “Kocherga” about __________ Russians do not always know all _____________ _____________ in their _______________. In the story a clerk _______________________.
Not _________ how the _____ "kocherga" ___________, he asks his colleagues, but _______________________________ . He __________ to send the _____________ ___________ to the stores:

“Our establishment, _________________ has been managing with just one poker. Due to this we request that you ____________________ __________, so that for every stove _________ ____________________.”
However then they ________________________ _______, who assured them that they should write “пять кочерёг”.
The paper was ________________ with the decision of the ________________
“Refused due to _____________________ ____________________”.

Михаил Зощенко
(1895-1958).

кочергá	hooked poker	учреждéние	establishment
склонéние	declension	печь	stove
существи́тельное	noun	обходи́ться	to manage with
чинóвник	clerk	самостоя́тельный	independent
склоня́ться	to decline	резолю́ция	decision, instruction
склад	store	завéдующий	director, manager
закáз	order	неимéние	lack

УРОК 7	**Серьёзные разговоры**

Руслан долго думал о разговоре с Тимофеем Николаевичем. В школе учитель истории рассказывал ему, что в тридцатые и сороковые годы в СССР были жестокие репрессии, но Руслан в школе не интересовался уроками истории и теперь жалел об этом. На следующий день он опять задал вопрос о Сталине. 2/29

Трудно обсуждать такие вещи с двенадцатилетним мальчиком. Но, попросив разрешения у Людмилы, Тимофей Николаевич начал рассказывать о Сталинских репрессиях. Он рассказал о том, как во время коллективизации ссылали людей в Сибирь, особенно из Украины и южной России, потому что их считали кулаками. Потом, после войны, ссылали тех, кого обвиняли в том, что они воевали на стороне немцев или сотрудничали с ними. Он объяснил, что ссылали людей и в отдалённые посёлки, и в трудовые лагеря, и он рассказывал о Сталине, о Берии и о страхе, с которым люди постоянно жили в то время.

2/30

- А кто такой кулак?
- Кулак - это крестьянин, который не хотел работать в колхозе, который держал своё хозяйство и работал на себя, прятал еду для своей семьи во время голода или, может быть, продавал еду соседям.
- А сколько человек сослали?
- Очень много. Миллионы. И очень многие просто погибли в дороге или были расстреляны.
- Понятно.
- Нет, никто никогда не поймёт этого. А хочешь послушать анекдот о Сталине?

жесто́кий	cruel	ла́герь (m.)	camp
репре́ссия	repression	страх	fear
жале́ть / по-	to regret	постоя́нно	constantly
задава́ть / зада́ть вопро́с	to ask a question	крестья́нин	peasant
обсужда́ть / обсуди́ть	to discuss	колхо́з	collective farm
коллективиза́ция	collectivisation	хозя́йство	farm, household
счита́ть (imp.)	to consider to be	пря́тать / с-	to hide
кула́к	kulak, fist	еда́	food
обвиня́ть / обвини́ть	to accuse	го́лод	famine
воева́ть (imp.)	to fight, make war	сосе́д	neighbour
сотру́дничать (imp.)	to collaborate	стреля́ть / рас-	to shoot
отдалённый	remote		
трудово́й	labour (adj.)		

Люда воспользовалась возможностью поговорить о личных делах с Вадимом. Ей хотелось убедиться, что он за ней больше не ухаживает. Люде уже показалось, что Вадим думает только о своём фильме, и это её обрадовало. Она также хотела узнать о здоровье матери Вадима, Зои Петровны, которая легла в больницу во Владимире. 2/31

Люда и Вадим стояли на палубе, смотрели на горизонт и ощущали тёплый ветер с юга.

- Это напоминает мне Днепр. - начала Людмила - Ты помнишь тот первый вечер, когда мы встретились в Киеве? Было так романтично!
- Нет, ты ошибаешься. Это не как Днепр. Здесь нет, например, течения. Вода совсем другая - чище и прозрачнее. И не виден свет города на берегу. Тем более, в Украине и климат совершенно другой.

Вадим не хотел вспоминать об их первой встрече. Люда видела, что ему сразу стало не по себе. Она поняла, что Вадим больше не интересуется ею в романтическом смысле. Вадим даже заявил, что он хочет иметь с ней только 2/32 дружеские отношения. Правда, он расспрашивал Люду о её дружбе с Тимофеем Николаевичем, но Люде показалось, что это было скорее от любопытства, чем от ревности. Тем более, Вадим её убедил, что письмо, посланное им Люде в связи с приездом в Иркутск, было написано под влиянием слишком большой дозы красного вина в его день рождения и что он приехал в Иркутск только из-за желания снять фильм, а не для того, чтобы встретиться с Людой.

по́льзоваться / вос-	to use
ли́чный	personal
убежда́ться / убеди́ться	to be convinced
уха́живать за (imp.)	to court
ра́довать / об-	to please
па́луба	deck
горизо́нт	horizon
ощуща́ть / ощути́ть	to feel
тече́ние	current
чи́стый	clean
прозра́чный	transparent
свет	the light
не по себе́	awkward
романти́ческий	romantic
смысл	meaning, sense
дру́жеский	friendly
отноше́ния (pl.)	relations
расспра́шивать / расспроси́ть	to interrogate
дру́жба	friendship
скоре́е	sooner (more)
любопы́тство	curiosity
ре́вность (f.)	jealousy, envy
до́за	dose
жела́ние	desire

2/33 О Зое Петровне Люда узнала, что она всё ещё лежит в больнице во Владимире и что врачи, сделав ей все анализы и обследование УЗИ, обнаружили у неё в жёлчном пузыре камень. Теперь она ждёт операции, но не знает, что выбрать. Ей бесплатно могут сделать традиционную операцию, но придётся долго дожидаться своей очереди, и после операции ей будет труднее восстановиться - рана дольше заживает, и наверняка, останется большой шрам. Однако, если она заплатит 400 долларов, ей сделают операцию с помощью лазера, после которой не останется бросающегося в глаза шрама.

Естественно, как и любую женщину, косметическая сторона вопроса волновала Зою Петровну не меньше, чем здоровье. Однако для пенсионерки 400 долларов - огромная сумма. Люда хотела бы помочь, но она все свои деньги откладывает для сына. Она решила вечером написать письмо Зое Петровне.

обсле́дование	scan, check
УЗИ - ультразвуково́е иссле́дование	ultra-sound scanner
обнару́живать / обнару́жить	to discover
жёлчный пузы́рь	gall bladder
ка́мень (m.)	a stone
традицио́нный	traditional
дожида́ться / дожда́ться	to wait a long time (for an event that eventually happens)
восстана́вливаться / восстанови́ться	to recover
ра́на	wound
зажива́ть / зажи́ть	to heal
наверняка́	for certain
шрам	scar
ла́зер	laser
броса́ющийся в глаза́	easily seen
есте́ственно	naturally
любо́й	any
космети́ческий	cosmetic
волнова́ть (imp.)	to worry
откла́дывать / отложи́ть	to put away (money)

ГУЛАГ

Пишет преподавательница русского языка Галина Вассон. 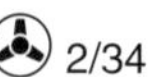 2/34

"ГУЛАГ" (Главное управление лагерей) был создан в 1930 году и стал страшным символом тоталитарного коммунистического режима. Однако государственные репрессии в России существовали давно. В 19 веке царские власти сослали в Сибирь более 1 млн. человек. Туда отправляли многих известных революционеров, в том числе Ленина, Троцкого и Сталина.

Тридцатые годы двадцатого века - это был период "расцвета" ГУЛАГа. В 1930 году число заключённых превысило 150 тысяч человек. ГУЛАГ стал крупнейшим поставщиком рабочей силы. Началось строительство Беломоро-Балтийского канала и Байкало-Амурской магистрали. На этих и других стройках Сибири работали десятки тысяч заключённых, или "зеков", как их называли. Они работали с утра до ночи, постоянно голодали и страдали от холода. Смертность "зеков" в лагерях была очень высока.

Людей, которых посылали в Сибирь, обвиняли в саботаже, измене советской Родине или шпионаже и называли врагами народа. Часто обвинения были просто абсурдными. Так, директор и несколько учителей средней школы в посёлке Ерчино Вологодской области были обвинены в антисоветском заговоре за то, что в классной аудитории портрет Сталина был прострелен из рогатки.

Многих людей заставляли признаться в том, чего они не делали, под давлением страшных мучений и пыток. Отправлялись в ссылку люди из разных социальных слоёв: студенты, учителя, священники, писатели, представители науки, культуры и искусства и простые рабочие и крестьяне. Когда в 1930 году начали создавать колхозы, в Сибирь на новое место жительства высылались так называемые кулаки - крестьяне, которые имели свою землю и не хотели отдавать своё добро в колхоз. Только в 1930-31 годах было выслано в Сибирь примерно 2 млн. человек.

С Великой Отечественной Войной, в 1941 году начался новый период в развитии ГУЛАГа. Условия жизни заключённых стали ещё хуже, и смертность людей увеличилась. С 1944 года появились новые лагеря для военнопленных и репатриантов. В лагерях ГУЛАГа в 1950 году находилось 2,8 млн. человек.

После смерти Сталина в марте 1953 года заключённых стали освобождать. Наконец, в 1960 году Главное управление лагерей было закрыто. Об этих событиях писал Александр Солженицын, и слово "ГУЛАГ" стало известным на западе, благодаря его книге "Архипелаг ГУЛАГ", изданной в 1973 году.

Find the Russian for:
main
administration
prison camp
symbol
regime
tsarist authorities
the blossoming of
a prisoner
to exceed
a supplier of labour
construction
a building project
to be hungry
mortality
betrayal
espionage
enemy
accusation
village
a portrait
a catapult
to force
to confess
torment
torture
social layers
science
art
peasants
property, goods
approximately
development
living conditions
to increase
prisoner of war
to release
published

 2/35

И.В.Сталин

СТАЛИН (Джугашвили) Иос. Виссарионович род в 1878. (псевд. - Коба и др.), полит. деятель, Герой Соц. Труда, Герой Сов. С-за, Маршал Сов. С-за, Генералиссимус Сов. С-за. Из семьи сапожника. После оконч. духовного уч-ща в 1894. учился в Тифлисской дух-ной семинарии (в 1899 исключён). В 1898 вступил в РСДРП. С 1902 по 1913 несколько раз подвергался арестам, ссылкам, четыре раза бежал из мест ссылок. В 1903 присоединился к больш-кам. В 1907, вернувшись с Лонд. съезда РСДРП, стал одним из орг-ров и рук-лей Бакинского к-та Партии. Ревностный сторонник В. И. Ленина, по иниц-ве к-рого в 1912 кооптирован в ЦК РСДРП. В 1917 чл. редколлегии газ. "Правда" и Политбюро ЦК больш-ков. После нач. гражд-ой войны руководил проведением экспроприаций в Закавказье. С 1917 по 1922 нарком по делам нац-тей. С 1919 по 22 нарком гос. контроля. С 1922 по 53 ген. секр. ЦК партии. После смерти Ленина в 1922, Сталин возглавил партию и установил в стране тоталитарный реж. Проводил индуст-цию страны и насильств. кол-цию. Сталин уничтожил своих соперников, инициатор масс-го террора. С кон. 30-х гг. проводил пол-ку сближения с фаш. Германией. С 1941 пред. СНК СССР, в годы войны нарком обороны, Верх. главноком-щий.

И.В.С. умер 5 марта 1953 года. На 20-м съезде КПСС в 1956 Н. С. Хрущёв подвёрг резкой критике т. н. культ личности и деятельность С.

Текст адаптирован из Большой Энциклопедии Кирилла и Мефодия, 1996.

Упражнение

Прослушайте запись текста и запишите полную версию сокращений в нём.

 2/36

Новый памятник Сталину

Газета.ru - апрель 2005.

В Якутии к 60-летию Победы местные власти города Мирный решили установить памятник Иосифу Сталину. Большинство жителей одобряют их намерения. Правозащитники говорят, что мода на Сталина неслучайна: виноваты ностальгические фильмы и тоска по «сильной руке».

Депутаты хотят порадовать памятником на городской площади ветеранов. «Мы не могли отказаться от просьбы участников ВОВ, да ещё и в юбилейный год. Ни для кого не секрет, что наши фронтовики в бой шли «За Родину! За Сталина!», – заявил мэр Мирного Анатолий Попов.

В городе провели опрос, судя по результатам которого большинство горожан одобряет идею установки памятника Сталину. Даже молодёжные организации ничего не имеют против. «Для нас мнение наших дедов священно», - заявил один из лидеров организации «Мое поколение» Александр Деревянко. Правда, пока нет ни памятника, ни эскизов к нему, признаются в горадминистрации. Известно лишь место, где его собираются установить: площадь Победы, перед кинотеатром «Якутск».

Find the words:
to erect
intentions
human rights defenders
a longing for
to make happy
request
participant
Motherland
anniversary year
questionnaire
judging by
to approve of
sacred
generation
sketches

Вопросы

1. Почему́ вла́сти в Ми́рном хотя́т установи́ть па́мятник Ста́лину?
2. Каково́ отноше́ние молодёжи к э́тому предложе́нию?
3. Па́мятник бу́дет устано́влен к 60-ле́тию Побе́ды?

Здравоохранение в Российской Федерации

Пишет преподавательница русского языка Нина Хилсдон.

2/37

В Российской Федерации медицинские услуги предоставляются через поликлиники и больницы. Важную роль также играют военные и железнодорожные поликлиники и госпитали и медицинские учреждения многих других ведомств.

Детям делают прививки от различных заболеваний и ежегодную пробу на туберкулёз. Для взрослых на некоторых предприятиях практикуют ежегодный медицинский осмотр. Обязательным для всех является флюорография.

До распада Советского Союза в стране было только бесплатное медицинское обслуживание. В 1991 ввели обязательное медицинское страхование (ОМС). Затем появилось добровольное медицинское страхование, обеспечивающее гражданам получение дополнительных медицинских услуг. Таким образом, в России в настоящее время существует бесплатное и платное медицинское обслуживание.

Некоторые виды лечения, а также ряд операций можно получить только на платной основе. Иногда люди предпочитают заплатить деньги за необходимую медицинскую услугу, чтобы не стоять в очереди. Качество обслуживания в платных клиниках и при добровольном медицинском страховании значительно выше, чем в бесплатных медицинских учреждениях. Однако, некоторые категории населения не могут позволить себе лечиться в частной больнице. Они вынуждены выбирать бесплатный вариант.

В стране действуют санатории и курорты, специализирующиеся на лечении определённых видов заболеваний. Крупные предприятия предоставляют своим сотрудникам путёвки в санатории, профилактории или на курорты, полностью или частично покрывая их стоимость.

Через поликлинику можно обратиться за консультацией к любому специалисту и взять направление на диагностику. Следует отметить, что семейные врачи не пользуются широкой популярностью в России.

К сожалению, система здравоохранения РФ имеет целый ряд проблем, являющихся следствием недостаточного государственного финансирования. Среди них можно выделить устаревшее диагностическое и лечебное оборудование, нехватку медицинского персонала в некоторых поликлиниках, особенно в сельской местности, и плохое состояние зданий многих поликлиник и больниц.

Find the meanings:
здравоохране́ние
услу́га
предоставля́ться
учрежде́ние
ве́домство
приви́вка
заболева́ние
ежего́дный
про́ба
туберкулёз
взро́слый
предприя́тие
осмо́тр
флюорогра́фия
обслу́живание
обяза́тельный
страхова́ние
доброво́льный
дополни́тельный
лече́ние
пла́тная осно́ва
услу́га
ка́чество
значи́тельно
куро́рт
части́чно
сто́имость (f.)
направле́ние
сле́дствие
устаре́вший
обору́дование
нехва́тка
се́льская ме́стность
состоя́ние

Некоторая статистика независимого агентства новостей Polit.ru и других источников:

В 1999 продолжительность жизни мужчин в РФ была 58 лет.
Медицинские диагнозы неправильны в 50% случаев.
Резко сократилась вакцинация детей (с 1992).
По количеству самоубийств Россия занимает первое место в Европе.
Каждый год около 35.000 человек гибнет на российских дорогах.
Средняя месячная зарплата по стране – около 3.200 рублей.
Стоимость полиса медицинского страхования - 7.000 - 25.000 рублей в год.
РФ тратит 2,2% внутреннего валового продукта (ВВП) на медицинское обслуживание. США – 20%.

Find the words:
independent
life expectancy
diagnosis
incorrect
sharply
to be reduced
vaccination
quantity
suicide
salary
policy
insurance
to spend
GNP

Продажа спиртных напитков и пива в литрах алкоголя

	1992	1995	1997	1998	1999	2000	2001	2002
В миллионах литров	744	1399	1128	1117	1151	1175	1203	1251
В литрах на человека	50,1	94,5	76,5	76,0	78,7	80,7	83,1	87

Россия в цифрах. 2003: Краткий статистический сборник. Госкомстат России. - М., 2003. Стр. 258

"У нас сформировалась скрытая, но почти узаконенная система платной медицинской помощи, в которой подчас царит произвол, и нет вообще никакой социальной справедливости."
(Владимир Владимирович Путин)

"In our country a ____________ but almost legally approved ____________ of ____________ medical ____________ has been formed, which at times is ____________ by whim, and there is no ____________ fairness at all."

2/38 **Народная медицина**

Народная медицина очень популярна в России - у многих это одна из семейнных традиций. Может быть, это отчасти потому, что тем, кто не живёт в городе, бывает сложно увидеть врача. Это может быть и из-за высокой цены медикаментов.

Народные способы лечения включают использование многих трав и ягод, например, облепиху - против кожных заболеваний, ожогов и внутренних язв, горчицу от простуды, и подорожник как антисептик.

Find the words:
partly
difficult
price
the use of
herbs
berries
sea buckthorn
skin complaints
burns
ulcers
mustard
a cold
plantain

Темы для дискуссии

1. Какие данные в абзаце "Статистика" не отражены в тексте на стр. 119?
2. Как Вы думаете, почему продолжительность жизни в РФ такая низкая?
3. Почему Президент недоволен положением в здравоохранении.
4. Как можно улучшить систему здравоохранения в России / в Вашей стране?
5. Вы сами пользуетесь народными способами лечения? Почему? Почему нет?

Украина Пишет преподаватель русского языка из Украины, Алла Коваль.  2/39

Украина расположена в юго-восточной части Европейского континента и граничит с Венгрией, Румынией, Молдовой, Польшей, Беларусью и Россией. Украина - вторая по величине страна Европы. Её территория около 600 тысяч квадратных километров, население - 48 миллионов человек. Национальный состав населения Украины очень разнообразен - это украинцы, русские, белорусы, молдаване, поляки, венгры, болгары, греки и др.

Климат Украины - умеренно континентальный, благоприятный для сельского хозяйства. Весна тёплая, солнечная. Лето жаркое. Осень сухая, но во второй её половине возрастает число дождливых и пасмурных дней. Зима снежная и морозная, с понижением температуры до минус 20°.

На западе страны возвышаются горные цепи Карпат, на юге - массивы горного Крыма окружены Чёрным морем. Самая крупная река - Днепр.

Национальный флаг Украины жёлто-голубой. Государственный язык - украинский. Широко используется русский язык в качестве разговорного и делового, особенно в восточной и южной Украине.

Киев, столица Украины, расположен на реке Днепр, это большой политический, индустриальный, научный и культурный центр. Население Киева - около 3 миллионов человек. Город отметил своё 1500-летие в 1982. С древних времён Киев является Матерью всех городов древней Руси. 882 год традиционно считается датой основания государства Киевская Русь с центром в Киеве. Киево-Печёрская Лавра, основанная в 1051, была центром христианства и культуры на Руси.

На протяжении нескольких веков Украина находилась под гнётом иностранных государств. В начале XVII столетия Богдан Хмельницкий освободил Украину от порабощения.

После русской революции и гражданской войны Украина вошла в состав СССР. Но с 1991 это - суверенное государство, молодое и независимое.

Киев. Площадь независимости

Find the meanings:
располо́жен
грани́чить
соста́в
разнообра́зен
уме́ренно
благоприя́тный
пониже́ние
возвыша́ться
разгово́рный
делово́й
отме́тить
основа́ние
христиа́нство
гнёт
порабоще́ние
сувере́нный
незави́симый

2/40 **“Оранжевая революция”**

Президентские выборы состоялись в Украине зимой 2004. В первом туре 31-го октября никто не победил. Второй тур состоялся 20-го ноября. Пророссийский кандидат, премьер-министр Янукович получил 42% голосов, и прозападный кандидат Виктор Ющенко получил 39%. Оппозиция подняла вопрос о коррупции в украинском суде и тысячи демонстрантов в оранжевой одежде оккупировали центр Киева. Запад также не признал результаты этих выборов. Оппозиция обвинила консерваторов в том, что они пытались отравить Виктора Ющенко. Результаты выборов были признаны недействительными, и третий тур состоялся 26-го декабря. Ющенко получил 43% голосов и стал Президентом страны. Западные лидеры сразу начали его поздравлять. Только позже выяснилось, что оранжевые шарфы финансировались США.

“The Orange Revolution”

Presidential ________________________ in Ukraine in the winter of 2004. In the ____________ on the 31st October, _____________________. The second ____________________ on the 20th November. The ______________________________, Prime Minister Yanukovich received 42% _________________ and the ___________________________ Viktor Uschenko received 39%. The opposition ____________________ in the Ukrainian ________ and thousands ____ the centre of Kiev. The West also ____ of these elections. The opposition ______________ the conservatives of trying to ____________ Victor Uschenko. The results of the elections were ___________________________________ and a third round ___________________ on December 26th. Uschenko received 43% ________________________ and became President of the country. Western leaders immediately ___________________________. Only later did it _______________________ ____.

2/41 **Прослушайте разговор с Мишей Кукушкиным об Украине:**

а. Когда́ Ми́ша жил в Украи́не? Ско́лько вре́мени он там прожива́л?

б. Что вы мо́жете узна́ть из разгово́ра с ним, что не дано́ в те́ксте на стр. 121 ...

... о кли́мате Украи́ны?

... об украи́нском фла́ге?

... об эконо́мике Украи́ны?

... о Кры́ме?

... о ру́сском языке́ в Украи́не?

... о я́дерном ору́жии в Украи́не?

Темы для дискуссии

1. Сравни́те кли́мат Украи́ны с кли́матом Росси́и?
2. Каки́е свя́зи име́ются ме́жду Украи́ной и Росси́ей?
3. Ду́маете ли Вы, что Украи́на когда́-нибу́дь войдёт в Евросою́з?
4. Как Вы ду́маете, почему́ в Сиби́ри ча́сто встреча́ются украи́нские фами́лии с оконча́нием “-енко” и́ли “-ук”. Наприме́р - Евтуше́нко, Сидоре́нко, Бондаре́нко, Ковальчу́к, Петрощу́к.
5. Приду́майте по́дпись (caption) к э́той фотогра́фии!

В тридцатые и сороковые годы в СССР были репрессии.
In the thirties and forties in the USSR there were repressions.
The accusative is used with decades when things are described that happened during a period of time:

В пятидеся́тые и в шестидеся́тые го́ды Хрущёв постро́ил мно́го пятиэта́жных домо́в.
In the fifties and sixties Khruschev built a lot of five storey houses.

However, for a one-off event use the prepositional:

Ле́нин у́мер в двадца́тых года́х. Lenin died in the twenties.

особенно из Украины - especially from the Ukraine
Previously the prepositions на and с were used with Украи́на, but more recently it has become accepted to use в for "to" and из for "from", as with most other countries.

на and с are most frequently used with:

open spaces: на дворе́, на у́лице,
(but: в па́рке, в саду́, в аэропорту́)

places that are or were originally open-air:
на по́чте, на вокза́ле, на заво́де

islands, peninsulars, rivers and most mountains:
на Сахали́не, на Ле́не, на Ура́ле

activities: она́ была́ на уро́ке, на конце́рте, на рабо́те, на бале́те
(but: она́ танцева́ла в бале́те)

means of transport: он опозда́л на по́езд, на авто́бус
(but: они́ разгова́ривали в авто́бусе)

Remember that из is the opposite of в and с is the opposite of на.

Их считали врагами народа.
They were considered to be enemies of the people.
There are two verbs счита́ть in Russian.
счита́ть / посчита́ть - "to count" - takes the accusative case.
счита́ть / счесть - "to consider" - is followed by the accusative and the instrumental:

Она́ счита́ла его́ де́ньги. She was counting his money.
Я счита́ю его́ хоро́шим дру́гом. I consider him (to be) a good friend.

Он продавал еду соседям. He sold food to his neighbours.
сосе́д - "neighbour" has hard endings in the singular and soft endings in the plural. The genitive plural is соседей.

Он ненави́дит сосе́да. He hates his neighbour.
Она́ встре́тила сосе́дей. She met her neighbours .

Ссылали людей в лагеря. People were exiled to camps.
ла́герь - "a camp", which is masculine, has an irregular nominative plural in -я́.

Она воспользовалась возможностью. She used the opportunity.
по́льзоваться / воспо́льзоваться - "to use, take advantage of" - is followed by the instrumental case.

Она легла в больницу. She went in to hospital.
лечь в больни́цу is used to for "to go in to hospital" and лежа́ть в больни́це is used for "to be in hospital".

Он не интересовался ею в романтическом смысле.
He was not interested in her in a romantic way.
ею can be used as an alternative to ей for the instrumental singular of она. The endings -ою and -ею can be used for -ой and -ей respectively for the instrumental singular of feminine nouns, pronouns and adjectives. This is more often used in poetry and set phrases.

Со мною вот что происходит :
Ко мне мой старый друг не ходит ... Е.Евтушенко

Find a further example in the Rozhdestvensky poem, page 67.

скорее от любопытства, чем от ревности
- more from curiosity than jealousy
скорée - "sooner" is used in this construction to render "more". Do not use бóльше for this meaning.

Врачи обнаружили у неё в жёлчном пузыре камень.
The doctors found a stone in her gall bladder.
у plus the genitive is frequently used in preference to a possessive adjective or a simple genitive for parts of the body, homes, close possessions etc. You have to resist the temptation of making a direct translation from the English:

The ball was in his hand.	Мяч был у негó в рукé.
	(not Мяч был в егó рукé.)
I was living in their dacha.	Я жил у них на дáче.
	(not Я жил в их дáче.)

Рана дольше заживает. The wound takes longer to heal.
"дольше" is the comparative form of the adverb долго or the adjective долгий. You met some of the more common irregular comparative forms in "Ruslan 2". Others are:

бли́зкий	бли́же	слáдкий	слáще	корóткий	корóче
высóкий	вы́ше	стрóгий	стрóже	ни́зкий	ни́же
грóмкий	грóмче	ýзкий	ýже	простóй	прóще
жáркий	жáрче	ширóкий	ши́ре	рéдкий	рéже
крéпкий	крéпче	богáтый	богáче	ти́хий	ти́ше
мя́гкий	мя́гче	глубóкий	глýбже	чи́стый	чи́ще
рáнний	рáньше	далёкий	дáльше		

Рана дольше заживает. The wound takes longer to heal.
Russian has two words for "long", one for size and one for time:
дли́нная рекá - a long river
дóлгое врéмя - a long time
but дóлгий путь, дли́нный путь and далёкий путь are all possible!
There are also two words for "short" :
корóткий is the more common and you will be safe to use it for nearly everything.
корóткая юбка - a short skirt
корóткие дни - short days
крáткий is used to describe how long something lasts :
крáткий визи́т - a short visit

Which word for "short" is used in the Okudzhava song p. 40?

ежегодный медицинский осмотр - an annual medical examination
The prefix еже- can be added to several adjectives to render the meaning that something happens regularly:

ежеднéвный -	daily	еженедéльный -	weekly
ежемéсячный -	monthly		

The associated adverbs are: ежеднéвно, еженедéльно, ежемéсячно, ежегóдно

УРОК 7 Упражнения

1. Вопросы к тексту

а. О чём жале́л Русла́н и почему́?
б. Каки́е ве́щи тру́дно обсужда́ть с двенадцатиле́тним ма́льчиком?
в. Каки́е вопро́сы задава́л Русла́н о Ста́лине?
г. Как Тимофе́й Никола́евич отве́тил на э́ти вопро́сы?
д. Почему́ Лю́да хоте́ла поговори́ть с Вади́мом?
е. Что Лю́да узна́ла из разгово́ра с ним?
ж. Где сейча́с нахо́дится Зо́я Петро́вна?
з. Почему́ Зо́е Петро́вне тру́дно реши́ть, на каку́ю опера́цию согласи́ться?

2. Вставьте в, из, на или с

а. Па́па прие́хал __ рабо́ты.
б. Они́ вспо́мнили встре́чу __ Ле́нинских гора́х.
в. Она́ пе́ла __ хо́ре.
г. Мы не принима́ли уча́стия __ конце́рте.
д. Он лови́л форе́ль __ реке́.
е. Новосиби́рск стои́т __ реке́ “Обь”.
ж. Он пришёл __ реки́.
з. Де́ти пришли́ __ шко́лы.
и. Они́ верну́лись __ пля́жа.
к. “__ вас 55 рубле́й. Заплати́те в ка́ссу!”

3. Complete the sentences with the words in brackets, changing the endings as necessary

а. Я счита́л его́ ______________________. (свой друг)
б. Он счита́л её ______________________. (де́ньги)
в. Сосе́ди счита́ли её ______________________. (сумасше́дшая)
г. Они́ счита́ли нас ______________________. (ва́жные го́сти)
д. Шофёр счита́ет ______________________. (пассажи́ры)
е. Я не счита́ю его́ ______________________. (дура́к)

4. Для чего вы пользуетесь данными предметами?

инструменты	**действия**
нож	узнава́ть информа́цию
лопа́та	ре́зать бума́гу
но́жницы	далеко́ ви́деть
микрофо́н	лу́чше ви́деть
бино́кль	запи́сывать му́зыку
ба́за да́нных	сохраня́ть информа́цию
ключ	копа́ть зе́млю
очки́	чи́стить ры́бу
интерне́т	печа́тать
стака́н	пить
часы́	узнава́ть вре́мя
при́нтер	открыва́ть замо́к

Составьте предложения!

Пример:
Я пользуюсь принтером, чтобы печатать.

5. Fill in the gaps with appropriate comparatives

а. Обе маши́ны дороги́е, но та _______________.

б. Он игра́ет ____________ меня́.

в. На ры́нке кита́йские това́ры ______________ ме́стных.

г. “Жигули́” - ма́ленькая маши́на, но “ми́ни” ещё ______________.

д. АН122 “Русла́н” - большо́й самолёт, но АН124 “Мри́я” ещё _____________.

е. Мы хо́дим в кафе _____________, чем в рестора́н.

ж. Ирку́тск - ста́рый го́род, но Москва́ ______________.

з. В Омск е́хать далеко́, но в Томск ____________.

и. Храм Христа́ Спаси́теля высо́кий, но Оста́нкинская ба́шня ещё ___________.

к. Апельси́н _____________, чем лимо́н.

л. В Москве́ жа́рко в ию́ле, но в Ташке́нте ещё _______________.

м. На конфере́нции Хрущёв крича́л _____________ всех.

н. Река́ Во́лга дли́нная, но Ле́на ещё _____________.

о. В январе́ дни гора́здо ______________, чем в ию́не.

п. Дру́жба, как вино́, с года́ми то́лько _______________.

6. Choose words to fill the gaps. Change the endings as necessary

а. Это бы́ло ___________________ вре́мя.

б. Он не проси́л моего́ _________________.

в. Они́ умира́ли от __________________.

г. Ва́ши __________________ прие́хали!

д. У меня́ с ней бы́ли отли́чные __________________.

е. Он прие́хал посмотре́ть, про́сто из _________________.

ж. У неё _______________ хоро́шее.

го́лод - сосе́д - здоро́вье - разреше́ние - отноше́ния
любопы́тство - жесто́кий

7. Choose verbs to fill the gaps. Use past tenses

а. Он _______________, что не пое́хал с ней.

б. Сове́тская а́рмия _______________ с фаши́стской Герма́нией четы́ре го́да.

в. Да, я _________________ с э́той фи́рмой ра́ньше, но сейча́с - нет.

г. Она́ _________________ докуме́нт в шкаф.

д. Дезерти́ров ____________________ на рассве́те.

е. Врачи́ __________________ у ребёнка туберкулёз.

воева́ть - спря́тать - сотру́дничать - пожале́ть
обнару́жить - расстреля́ть

8. Choose verbs to fill the gaps. Use past tenses

а. Он _______________ её приéздом, чтóбы поговори́ть о свои́х проблéмах.
б. Мы не _________________ , что это бы́ло противозакóнно.
в. Я ________________ их, что вы не правы́.
г. Этот вопрóс __________________ её.
д. Она́ не ___________________ его и вы́шла зáмуж за другóго.

дождáться - воспóльзоваться - сомневáться - убеди́ть - волновáть

9. Choose verbs to fill the gaps. Use future tenses

а. Приезжáйте в гóсти! Вы не ___________________ .
б. Мы __________________ это до суббóты.
в. Мы не знáем, что мы ___________________.
г. Я __________________ его об э́том.

расспроси́ть - пожалéть - отложи́ть - обнару́жить

Языковая практика

1. Устная работа в группе

Задáйте вопрóсы и расскажи́те друг дру́гу о том, как Вы когдá-либо лежáли в больни́це / болéли.

- Чем Вы болéли?
- Как дóлго Вы лежáли в больни́це или лечи́лись дóма?
- Вам дéлали оперáцию?
- Вы пропусти́ли чтó-нибудь вáжное в жи́зни или на рабóте? (Например́, вáжную встрéчу, чéй-нибудь день рождéния и́ли свáдьбу и т.д.)

Medical words you can guess:
аппендици́т
ви́русное заболевáние
грипп
перелóм (слóмана рукá и́ли ногá)
повы́шенное / пони́женное давлéние
скарлати́на

Misleading words:

анги́на	tonsillitis
стенокарди́я	angina

Other words:

ветря́нка	chicken pox
воспалéние лёгких	pneumonia
инфáркт	heart attack
инсу́льт	a stroke
коклю́ш	whooping cough
корь	measles
ожóг	a burn
пищевóе отравлéние	food poisoning
порéз	a cut
расстрóйство желу́дка	stomach upset
столбня́к	tetanus

2. Устная работа в группе

Задáйте вопрóсы и расскажи́те друг дру́гу о Вáшем сосéде / о Вáшей сосéдке / о Вáших сосéдях.

- Кто он / онá / они́?
- Как чáсто Вы с ним / с ней / с ни́ми общáетесь?
- Как чáсто Вы у негó / у неё / у них бывáете?
- У Вас с ним / с ней / с ни́ми бы́ли / бывáют разноглáсия? Каки́е?

3. Устная работа в парах. Кто есть кто?
Кто есть кто из э́тих изве́стных люде́й росси́йской исто́рии XX-го ве́ка. Для ка́ждого челове́ка найди́те характери́стику и фотогра́фию. Что ещё Вы зна́ете о них?

Бре́жнев Леони́д Ильи́ч
Горбачёв Михаи́л Серге́евич
Кру́пская Наде́жда Константи́новна
Жу́ков Гео́ргий Константи́нович
Распу́тин Григо́рий Ефи́мович
Терешко́ва Валенти́на Влади́мировна
Тро́цкий Лев Дави́дович
Хрущёв Ники́та Серге́евич

Жена Ленина. Одна из создателей сов. системы народного образования. "Школа должна не только обучать, она должна быть центром коммунистического воспитания".

Герой Советского Союза.
Первая в мире женщина-космонавт. 16-19 июня 1963 года совершила космический полёт в качестве пилота космического корабля "Восток-6" продолжительностью в 2 суток 23 часа.

Социал-демократ. В 1912 организовал Августовский блок, направленный против В.И. Ленина и большевиков.
После Октябрьской революции - нарком иностранных дел, нарком по военным и морским делам. В 1927 исключён из партии, в 1929 выслан из СССР. В 1932 лишён советского гражданства. Был убит ледорубом в Мексике агентом НКВД.

Четырежды Герой Сов. Союза. Маршал Сов. Союза. Командовал сов. войсками во время В.О.В. против фашистской Германии. 8 мая 1945 принял капитуляцию немцев.

Сибирский старец, целитель, особо приближённый к императрице Александре Фёдоровне. Один из наиболее загадочных личностей в российской истории. Был неграмотным, нигде не учился, ничего не знал о медицине, но, якобы, помогал молодому царевичу. Был отравлен, застрелен и утоплен.

Полит. деятель из крестьянской семьи. После смерти Сталина в 1953 стал 1-ым Секр. Ком. Партии. В 1956 критиковал Сталина и закрыл ГУЛАГ. Вскоре после этого послал советские танки в Будапешт. В 1962 после тел. разг. с Кеннеди вывел ядерное оружие с Кубы. Советовал выращивать побольше кукурузы в СССР. Его сняли с поста в 1964.

Полит. деятель. Отец перестройки.
В 1985 избран генер. секр. ЦК КПСС. В 80-ые годы произвёл радикальные измен. во внешнеполитич. курсе СССР.
В марте 1990 избран Презид. СССР.

Полит. деятель. Пришёл к власти в 1964 после заговора против Хрущёва. Дольше всех был на посту Ген. Секр. КПСС - с 1964 до смерти в 1982.

4. Вопросы к упражнению 3
а. В како́й о́бласти рабо́тала Н. Кру́пская?
б. Чем изве́стна В. Терешко́ва?
в. Кто из э́тих люде́й у́мер в Южной Аме́рике?
г. Как у́мер Григо́рий Распу́тин?
д. Почему́ реши́ли установи́ть па́мятник Г.К. Жу́кову?
е. Каки́е полити́ческие пробле́мы бы́ли у Н. Хрущёва в 60-ые го́ды?
ж. Кто замени́л М. Горбачёва?

5. Выучите анекдоты

Сталин разговаривает по телефону с Черчилем 2/42

- Нэт*.
- Нэт.
- Нэт.
- Нэт.
- Да.
- Нэт.
- Нэт.

Кладёт трубку.
Секретарь спрашивает:
- Товарищ Сталин, а в чём вы согласились с Черчилем?
- А это он меня спросил, хорошо ли я его слышу!

* "Нэт" - он говорит "нет" с грузинским акцентом.

Старики на демонстрации 2/43

Старики на демонстрации несли плакат: "Спасибо товарищу Сталину за наше счастливое детство".
- Вы что, с ума сошли? Когда у вас было детство, товарища Сталина ещё на свете не было!
- За то и спасибо!

счастли́вый	-	happy
де́тство	-	childhood
Вы с ума́ сошли́?	-	Have you gone mad?

Берия в Калифорнии 2/44

Лаврентий Берия был на заводе "Форд" в Калифорнии. Директор завода хотел ему подарить машину.
- Не могу взять.
- Почему?
- Потому что у нас социализм. Другая мораль. Я не могу взять такой дорогой подарок, особенно от капиталистов.
- Тогда мы можем продать её Вам за условную цену в один доллар. Вы согласны?
- Да! Беру две!

усло́вный	-	relative, token (adj.)

У Сталина пропала трубка 2/45

У Сталина пропала трубка. Берия начал расследование. К вечеру арестовали сто человек, а утром уборщица трубку нашла. Сталин звонит Берии:
- Лаврентий, нашлась трубка!
- Хорошо, товарищ Сталин, но у меня уже все, за исключением одного, признались, что украли трубку.
- За исключением одного?! Тогда продолжай расследование!

пропа́сть	-	to be lost
рассле́дование	-	investigation
убо́рщица	-	a cleaner
исключе́ние	-	exception
призна́ться	-	to confess
укра́сть	-	to steal

6. Прочитайте рекламу!

КТО СКАЗАЛ, ЧТО ДЕШЕВОЙ РЕКЛАМЫ НЕ БЫВАЕТ?
А у нас ЕСТЬ, БЫЛА и БУДЕТ!
В чём отличие от других, Вы спросите.
Это просто - у нас цены НИЖЕ, а базы АКТУАЛЬНЕЕ!
Обращайтесь
(095) 500 7589

Who said that there is no such thing as ____________________? Ours are, __________ and ____________. What is the difference ________________, you will ask. It is simple - our prices are ____________ and our data bases are ____________________ ______________. Contact us ....

7. Составьте диалоги!

а. Тимофе́й Никола́евич разгова́ривает с Русла́ном о Ста́лине.

Руслан	**Тимофей Николаевич**
Русла́н про́сит Тимофе́я Никола́евича рассказа́ть ему́ о Ста́лине и объясни́ть, что означа́ет сло́во «репре́ссия».	Тимофе́й Никола́евич объясня́ет Русла́ну, кто тако́й Ста́лин, и расска́зывает о репре́ссиях э́того вре́мени.
Русла́н спра́шивает, что тако́е «кула́к» и кто счита́лся «враго́м наро́да» в ста́линское вре́мя.	Тимофе́й Никола́евич отвеча́ет на вопро́с Русла́на и говори́т, что практи́чески ка́ждая сове́тская семья́ была так или ина́че затро́нута репре́ссиями: у всех бы́ли да́льние и́ли бли́зкие ро́дственники, кото́рые сиде́ли.
Русла́н интересу́ется, бы́ли ли репресси́рованные в семье́ Тимофе́я Никола́евича.	Тимофе́й Никола́евич отвеча́ет, что бы́ли. Наприме́р, его пра́дед, кото́рый получи́л «де́сять лет лагере́й стро́гого режи́ма без пра́ва перепи́ски», что реа́льно означа́ло – расстре́л. Праба́бка Тимофе́я Никола́евича всю оста́вшуюся жизнь наде́ялась, что её муж жив и когда́-нибудь вернётся. Но она́ его́ так и не дождала́сь.
Русла́н замеча́ет, как ему́ повезло́, что он живёт совсе́м в друго́е вре́мя.	Тимофе́й Никола́евич говори́т, что э́то о́чень зре́лое замеча́ние для двенадцатиле́тнего ма́льчика.

так или ина́че	-	in one way or another	пра́дед	-	great grandfather
затро́нут	-	touched, affected by	ему́ повезло́	-	he was lucky
перепи́ска	-	correspondence	зре́лый	-	mature
расстре́л	-	death by firing squad	замеча́ние	-	comment
означа́ть	-	to mean			

б. Разгово́р Лю́ды с Вади́мом на па́лубе теплохо́да.

Люда	Вадим
Лю́да спра́шивает Вади́ма, рад ли он их случа́йной встре́че.	Вади́м отвеча́ет, что он, коне́чно, всегда́ рад повида́ться со ста́рой знако́мой.
Лю́да пыта́ется навести́ В. на разгово́р об их пе́рвой романти́ческой встре́че в Ки́еве и говори́т, как сего́дняшний ве́чер напомина́ет ей ту встре́чу.	Вади́м отвеча́ет, что, напро́тив, в э́тих двух встре́чах нет ничего́ о́бщего, да и приро́да здесь соверше́нно друга́я.
Лю́да молчи́т, а пото́м перево́дит разгово́р на другу́ю те́му и спра́шивает Вади́ма о его́ но́вом фи́льме.	Вади́м объясня́ет, о чём бу́дет фильм. Пото́м интересу́ется, давно́ ли Лю́да зна́ет Тимофе́я Никола́евича.
Лю́да отвеча́ет и, в свою́ о́чередь, спра́шивает, почему́ он интересу́ется Тимофе́ем Никола́евичем.	Вади́м говори́т, что знако́мство с таки́м челове́ком, как Тимофе́й Никола́евич, мо́жет оказа́ться для него́ поле́зным, с профессиона́льной то́чки зре́ния.
Лю́да со вздо́хом говори́т, что она́ так и ду́мала, и предлага́ет разойти́сь по каю́там, потому́ что ста́ло прохла́дно и темно́.	Вади́м провожа́ет её до каю́ты и проща́ется с ней до утра́.

случа́йный	-	chance (adj.)
пыта́ться	-	to attempt
навести́	-	to lead
о́бщий	-	in common
поле́зный	-	useful
вздо́х	-	a sigh
прохла́дно	-	chilly

8. Сочините письмо!

Люда пишет Зое Петровне во Владимир.
Люда пишет о том, как они с сыном приехали навестить дядю Колю в Иркутск. Она пишет о том, что они делали в Иркутске и об экскурсии по озеру Байкал. Она также пишет о жизни и о здоровье дяди Коли.

Она спрашивает о здоровье Зои Петровны и о её будущей операции. Она надеется, что всё пройдёт благополучно и что скоро ей станет намного лучше.

Она обещает навестить Зою Петровну с байкальским сувениром, как только она приедет в Москву в начале сентября. Она знает, что Зоя Петровна после операции будет на диете и обещает принести что-нибудь диетическое.

Придумайте подходящую концовку для этого письма.

Адрес:
Областная клиническая больница,
г. Владимир 600099
Судогодское шоссе, 41
Звоновой Зое Петровне
(1-ое Хирургическое отделение,
палата № 36)

УРОК 8 Приезд Ивана Козлова

3/02 Иван Козлов сидел в салоне самолёта Ту-154 и смотрел в иллюминатор. Внизу, в разрыве облаков, были видны реки, озёра и бесконечная сибирская тайга. Он начал думать о том, какие в России огромные пространства и какие богатые природные ресурсы. Да, страна-то богатая, да только денег у простых людей нет! Его мысли вернулись к его герою, Роману Абрамо́вичу. Какие чудеса произошли при нём на Чукотке - оленеводы расплачиваются в магазинах пластиковыми банковскими карточками. Теперь в газетах пишут, что Роман - самый богатый человек в Англии. Семь с половиной миллиардов фунтов. Даже богаче британской королевы! А теперь он купил английский футбольный клуб. Молодец! ...

сало́н	saloon	чу́до	wonder
иллюмина́тор	porthole	при (+ prepositional)	in the presence of, at the time of (see grammar)
разры́в	gap		
о́блако	cloud		
тайга́	taiga	происходи́ть / произойти́	to happen
простра́нство	area	оленево́д	reindeer herdsman
приро́дный	natural	распла́чиваться / расплати́ться	to pay, settle a bill
ресу́рс	resource	пла́стиковый	plastic
просто́й	simple, ordinary	миллиа́рд	billion
мысль (f.)	thought	короле́ва	queen

3/03 Иван летел из Москвы в Иркутск, откуда он собирался поехать дальше, в Байкальск, на машине, чтобы встретиться со своим одноклассником, Игорем Абрамовичем Кузнецовым. Иван должен был лететь вместе с Питером Смитом, но Питера не было. За два дня до вылета Иван получил от Питера сообщение по электронной почте, что его новая жена, Шарон, запретила ему лететь в Сибирь. Какое странное имя, подумал Иван, похоже на еврейское, а потом он вспомнил о знаменитой американской актрисе с таким же именем. Шарон, оказывается, сама боялась летать вообще, а также боялась потерять нового мужа, тем более, что из Москвы в Иркутск надо было лететь Аэрофлотом. Тут Иван улыбнулся. Он часто замечал, как иностранцы боятся летать самолётами Аэрофлота. Это, якобы, опасно, хотя Аэрофлот, по мнению Ивана, - одна из самых надёжных авиакомпаний в мире, с самыми опытными пилотами, которые, конечно же, лучше других знают местные российские условия. Но ничего не поделаешь, Питер остался дома, и Ивану пришлось поехать в Байкальск одному, чтобы подвести итоги результатов эксперимента с новым средством против комаров. Ему нужно было встретиться с участвующими в проекте, собрать результаты эксперимента и отзывы о средстве, оплатить участие людей в проекте, а потом отправить результаты эксперимента Питеру в Кембридж.

Хорошая работа, подумал Иван, но ему было жаль, что не представилось возможности увидеться со старым другом Питером.

вы́лет	flight out	надёжный	reliable
сообще́ние	message	о́пытный	experienced
запреща́ть / -ти́ть	to forbid	усло́вие	condition
евре́йский	Jewish	остава́ться / оста́ться	to stay behind
тем бо́лее	all the more so	подводи́ть / подвести́ ито́ги	to sum up, conclude
я́кобы	as if / saying that (see grammar)		
мне́ние	opinion	о́тзыв	feedback

3/04 Чтобы убить время, Иван завёл разговор с пассажиром, сидящим рядом с ним. Это был священник огромного роста с густой седой бородой. Батюшка сказал, что он возвращается в Иркутск после конференции о реставрации церквей и соборов в провинциальных городах России.

Ивану эта тема была очень интересна, однако он никак не мог понять, откуда у русской православной церкви столько денег на такую роскошную реставрацию. Недавно у него в Саранске отреставрировали монастырь, якобы на деньги прихожан. Он воспользовался возможностью задать собеседнику так много вопросов, что тот встал с места под предлогом, что ему нужно помыть руки, и вышел из салона, а когда вернулся, сел в другое кресло, достал из кармана зачитанную книгу Нового Завета и углубился в неё.

заводи́ть / завести́	to start (something)	реставри́ровать / от-	to restore
свяще́нник, ба́тюшка	priest	прихожа́не (pl.)	congregation
густо́й	thick (of hair, bushes etc)	собесе́дник	interlocutor
реставра́ция	restoration	предло́г	pretext
правосла́вный	orthodox (church)	зачи́танный	well-read
сто́лько	so much, so many	Но́вый Заве́т	The New Testament
роско́шный	luxurious	углубля́ться / углуби́ться в	to bury oneself in

3/05

В Иркутске, в аэропорту, Ивана встретил шофёр, смуглый бурят, посланный Игорем Абрамовичем. Шофёр проводил Ивана до чёрной "Волги", стоявшей на автостоянке.
- Сколько времени ехать до Байкальска?
- Часа три. А почему у вас так много багажа?

Действительно, Иван нёс два больших тяжёлых чемодана. В них были дополнительные банки с английским кремом, двести двадцать штук, но Иван не хотел говорить об этом шофёру. Это не его дело.
- Два чемодана - разве это много? Это мои личные вещи. Подарки. Много всего.
- А вы давно знакомы с Игорем Абрамовичем?
- С детства. Пионерами вместе были.

Короткие ответы Ивана достигли желаемого результата - шофёр перестал задавать вопросы, и оба замолчали. Потом шофёр включил радио:

3/06

> *<<Кузьма сидит на последнем сиденье у окна. Народу в автобусе немного, свободные места есть и впереди, но ему не хочется подниматься и переходить. Он втянул голову в плечи и, нахохлившись, смотрит в окно. Там, за окном, километров двадцать подряд одно и то же: ветер, ветер, ветер - ветер в лесу, ветер в поле, ветер в деревне.>>*

Иван сразу узнал, что́ это было - читали отрывок из его любимого романа сибирского писателя Валентина Распутина "Деньги для Марии". Иван прочитал эту книгу в прошлом году и прекрасно помнил описание жестокого сибирского ветра.
- Хорошо, что я приехал летом, - сказал Иван шофёру, и оба засмеялись.

сму́глый	dark skinned
дополни́тельный	additional
шту́ка	"a piece" - see grammar
мно́го всего́	lots of things
пионе́р	pioneer
молча́ть / за-	to be quiet / stop talking
сиде́нье	seat
впереди́	in front
втя́гивать / втяну́ть	to drag in, hold in
пле́чи	shoulders
нахо́хливаться / нахо́хлиться	to hunch oneself up
подря́д	in succession
одно́ и то́ же	one and the same thing
отры́вок	excerpt

Бурятка

Буряты - одна из самых многочисленных народностей Сибири. В Иркутской области проживает 81 тысяча бурят, а в республике Бурятия - 249 тысяч. Традиционная религия бурят - шаманизм, то есть вера в силу шамана (pagan priest, witch doctor), но в Бурятии также распространён и буддизм.

3/07 **Пионерская организация**

Пионерская организация была создана 19 мая 1922 года по модели бойскаутской. Девиз пионеров: "Будь готов!" - является переводом скаутского девиза: "Be prepared!". Ответ: "Всегда готов!".

Возраст пионеров - от 10 до 14 лет. Вступая в ряды пионерской организации, дети давали торжественную клятву, пели гимн. Непременным символом организации были красный галстук, в форме треугольника, и пионерский значок. Помимо школы, центрами пионерской деятельности были Дворцы и Дома пионеров. Летом в бывшем Советском Союзе работали несколько тысяч пионерских лагерей, где дети отдыхали и участвовали в различных пионерских мероприятиях.

Группа пионеров. Подмосковье - 1970 годы.

Хотя на западе критиковали пионерскую организацию за её политическую направленность, главным её достоинством было воспитание дисциплины, прилежания в учёбе, чувства ответственности и умения работать в команде.

Распад Советского Союза повлёк за собой и распад пионерской организации. В последние годы в России предпринимаются серьёзные попытки её возрождения. Так, недавно создан новый Союз Пионерских Организаций.

Guess the words:
во́зраст
кля́тва
треуго́льник
де́ятельность
напра́вленность
досто́инство
отве́тственность
распа́д
попы́тки
возрожде́ние

Слушайте!

3/08 1. Прослу́шайте расска́з Ольги о том, как она́ была́ пионе́ркой. Что Вы мо́жете узна́ть из её расска́за, о чём не напи́сано в те́ксте на э́той страни́це?

3/09 2. Прослу́шайте разгово́р с Лю́дой. Как её ба́бушка относи́лась к тому́, что Лю́да была́ пионе́ркой?

3/10 3. Прослу́шайте, как четы́ре челове́ка (Лю́да, Ольга, Та́ня и Ми́ша) стара́ются вспо́мнить "Торже́ственную кля́тву пионе́ра". Кто из них лу́чше вспомина́ет э́ту кля́тву?

"Торжественная клятва пионера"
Я - юный пионер Советского Союза перед лицом своих товарищей торжественно обещаю: Горячо любить свою Родину! Жить, учиться и бороться, как завещал великий Ленин, как учит Коммунистическая партия! Всегда выполнять Законы Юных Пионеров Советского Союза!

Роман Абрамóвич - “Миллиардер ниоткуда”*

3/11

Роман Аркадьевич Абрамович родился 24 октября 1966 года в Саратове. Вскоре после рождения сына, мать Ирина снова забеременела и решила сделать аборт. Следствием стало заражение крови и смерть. Отец Романа, строитель, тоже погиб в 1969 году, в результате аварии на стройке. Ребёнок остался сиротой.

Сначала он жил в семье дяди, Лейба Абрамовича, в маленьком городе Ухте, в 700 километрах от Москвы. Вместе с Романом росли две родные дочери Лейба. Они жили в однокомнатной квартире, потом получили трёхкомнатную. Лейб Абрамович был начальником предприятия "Ухталес", поэтому жизнь у Романа, по советским меркам, была обеспеченной. У него был импортный магнитофон, хорошая одежда, в доме всегда было много продуктов. Квартиру несколько раз грабили.

В 1974 году Роман уехал из Ухты в Москву к бабушке и второму дяде, где жил с ними на Цветном бульваре и учился в школе №232. В армии Роман служил в Киржаче, недалеко от Москвы. Роман не пил, не курил, занимался спортом, организовал солдатскую футбольную команду и любительский театр. Роман отдал все свои деньги другу киргизу на дорогу, когда у того в семье случилось несчастье.

После армии Абрамович продолжал учиться. В начале перестройки он открыл кооператив "Уют" и начал производить и продавать куклы. С приходом к власти Бориса Ельцина Абрамович начал торговать нефтью, покупая её у местных производителей по внутренним ценам и продавая её за границу по мировым.

Роман Абрамович произвёл огромное впечатление на миллиардера Бориса Березовского. Они вместе начали работать по созданию "Сибнефти". Березовский обладал необходимыми связями в правительстве для того, чтобы проект был одóбрен, Абрамович же занимался техническими вопросами предприятия. В это время Березовский познакомил молодого нефтеторговца с русской элитой и с самúм Борисом Ельциным.

Абрамович никогда не стремился заниматься политикой. Он интересовался только бизнесом. Но Березовский ввёл его в кремлёвские круги. Затем Абрамович стал финансировать партию "Единство", которая помогла Владимиру Путину стать Президентом России. Благодаря усилиям Абрамовича, на выборах в Думу молодая партия победила. Укрепились и личные отношения Абрамовича с Путиным.

В 1999 году Абрамович выставил свою кандидатуру на выборах в Думу от Чукотки и победил, после чего начал программу помощи своим избирателям. Потом он выдвинул свою кандидатуру на пост губернатора Чукотки и выиграл на выборах.

На Чукотку Абрамович привёз специалистов из Москвы, улучшил все стороны жизни людей, за что стал очень популярным среди чукчей. Он также ввёл борьбу с пьянством и построил много зданий в столице Чукотки Анадыре.

Статья адаптирована с www.newsru.com/russia/16nov2004/abramovich.html о биографии Абрамóвича британских авторов Д. Миджли и К. Хатчинс -“Абрамóвич - Миллиардер ниоткуда”

Когда молодой олигарх захотел стать владельцем английского футбольного клуба, он сначала встретился с игроками команды "Манчестер Юнайтед", но с этой покупкой ничего не вышло. Тогда Абрамович встретился с Кеном Бейтсом и, после некоторого скандала в прессе, стал владельцем "Челси".

Find the Russian words for:

to get pregnant	to trade in oil	efforts
abortion	local producers	elections
infection	internal prices	relations
builder	world prices	candidature
accident	impression	electors
building site	billionaire	thankful
orphan	creation	owner
assured	approved	purchase
to burgle	oil technician	
amateur	elite	
dolls	politics	

Темы для дискуссии

1. Что Вы зна́ете о Рома́не Абрамо́виче, о чём не ска́зано на э́тих страни́цах.
2. Предста́вьте, что у Вас бу́дет встре́ча с Рома́ном Абрамо́вичем. Пригото́вьте шесть вопро́сов, кото́рые Вы бы хоте́ли ему́ зада́ть.

3/12

"Деньги для Марии"

Валентин Григорьевич Распутин - классик русской литературы XX-го века. В романе "Деньги для Марии" он пишет о том, как в 60-ые годы в сибирской деревне колхозник Кузьма пытается собрать деньги у друзей и знакомых для своей жены Марии. В магазине, где работает Мария, произошла большая неприятность. К ней приехал бухгалтер, а часть товара исчезла. По ходу того, как Кузьма собирает деньги, читатель знакомится с рядом персонажей деревенской жизни. Все хотят помочь Марии, но Кузьма не может собрать нужную сумму. Один дед даже предлагает, чтобы Кузьма помог Марии забеременеть, потому что беременных женщин в тюрьму не сажают. Роман заканчивается угрозой, что Марию увезут - в темноте видны фары приближающегося автомобиля.

Guess the meanings:
кла́ссик
неприя́тность (f.)
бухга́лтер
това́р
предлага́ть
забере́менеть
сажа́ть в тюрьму́
угро́за
увезти́
фа́ры

Валентин Распутин

Русская Православная Церковь

Пишет Василий Бессонов.

3/13

Россия – многонациональная страна и поэтому в ней существует много религий. Однако, наиболее распространённой является Православие. В 988 князь Владимир обратил в христианство жителей Киева. Это событие считается годом крещения Руси. В 1988 страна отмечала тысячелетие принятия христианства.

Троицко - Сергиев Монастырь

Город Сергиев Посад известен как центр русского православия. На его территории находятся резиденция Патриарха (главы Русской Православной Церкви), Троицко – Сергиев Монастырь, Духовная Академия.

В русских православных церквях и соборах верующие молятся перед иконами, на которых изображены Бог, Богородица и разные святые. Во время службы в русской церкви прихожане стоят, иногда по многу часов. При входе в церковь мужчины снимают головной убор, у женщин, наоборот, голова должна быть покрыта. В некоторые храмы женщин не пустят в брюках, не принято заходить в церковь в открытой одежде и шортах, хотя в последнее время Церковь стала более терпима к туристам.

Самый большой православный праздник – Пасха. Верующие соблюдают строгий шестинедельный пост. На последней неделе православные верующие красят яйца, пекут высокий сладкий хлеб, который называется «кулич», делают «пасху» из сметаны и творога по особому рецепту.

В ночь с субботы на воскресенье священники служат всенощную пасхальную литургию до раннего утра. После полуночи люди говорят: «Христос воскрес - Воистину воскрес!», целуют друг друга троекратно и дарят крашеные яйца.

Рождество празднуется не 25-го декабря, а седьмого января, потому что Православная Церковь живёт по Юлианскому календарю. В этот день верующие поздравляют друг друга, говоря: «С Рождеством Христовым!». Хотя в 1993 Рождество объявлено государственным праздником, подарки в России традиционно дарят на Новый год, в ночь с 31-го декабря на первое января.

Большинство священников Русской Православной Церкви женаты, воспитывают детей и стараются быть моральным примером для своих прихожан.

Find the words:	are depicted	Easter
widespread	the Mother of Jesus	to observe a fast
to convert to Christianity	a Saint	to paint eggs
thousand year anniversary	church service	to bake bread
orthodoxy	the congregation	sour cream
the head of	head gear	an all-night liturgy
Spiritual Academy	temple	has risen
believers	trousers	painted eggs
to pray	tolerant	a moral example

В годы советской власти многие храмы были закрыты или разрушены, священники преследовались. Сейчас Россия постепенно переживает духовное возрождение. Храмы, многие из которых долгое время были музеями, опять принадлежат Православной Церкви (например, Казанский и Исаакиевский соборы в Петербурге). Вновь выстроен Храм Христа Спасителя в Москве по первоначальному проекту. Открываются воскресные школы, люди венчаются в церкви и крестят своих детей.

По последним данным более семидесяти процентов россиян считают себя православными.

Find the words:
destroyed
to be persecuted
a rebirth
Sunday school
to be married in church
to christen children
to consider themselves

Церковь в Сергиевом Посаде

Святой Сергий и медведь

3/14 **Слушайте!**

Прослу́шайте разгово́р с Никола́ем Липа́товым. Что вы мо́жете узна́ть из разгово́ра с ним ...

а. ... о Правосла́вной Це́ркви в Англии?
б. ... о реставра́ции церкве́й?
в. ... о правосла́вных ико́нах?
г. ... о рома́не Льва Толсто́го “Войнá и Мир”?

Темы для дискуссии

1. Зна́ете ли Вы, каки́е из сле́дующих рели́гий и́ли религио́зных групп широко́ распространены́ в Росси́и, кро́ме правосла́вия?

   бапти́сты - будди́зм - католици́зм - исла́м - иуде́йская ве́ра
   си́кхская ве́ра - шамани́зм

2. Пра́вильно и́ли непра́вильно?

а. Христиа́нство в Росси́и существу́ет бо́лее ты́сячи лет.
б. Христиа́нство исче́зло в Росси́и во вре́мя сове́тской вла́сти.
в. В це́ркви прихожа́не должны́ стоя́ть во вре́мя всей слу́жбы.
г. Правосла́вные свяще́нники мо́гут жени́ться, е́сли у них есть жела́ние.
д. Же́нщины мо́гут быть свяще́нниками в Ру́сской Правосла́вной Це́ркви.
е. Ме́нее полови́ны россия́н счита́ют себя́ правосла́вными.

в разрыве облаков - in a gap between the clouds (of the clouds)
о́блако is neuter, with an irregular genitive plural облако́в.
де́рево - "a tree" - is another neuter noun with an irregular genitive plural - дере́вьев. It has the nominative plural дере́вья.

страна-то богатая
The particle -то is added for emphasis, usually followed by a contradiction or paradox.

Роман Абрамо́вич - Roman Abramóvich
Абрамо́вич is a family name of Jewish descent. Do not confuse it with the patronymic name Абра́мович. Note the difference in the stress.

Какие чудеса! What wonders!
чу́до - "a miracle" and не́бо - "the sky" have the nominative plural forms чудеса́ and небеса́. The plural declension continues as you would then expect:
небеса́, небеса́, небе́с, небеса́м, небеса́ми, о небеса́х.

Какие чудеса произошли! What wonders have taken place!
The verb происходи́ть / произойти́ - "to happen, to take place" - is intransitive and cannot have an object.

Чудеса произошли при нём! Miracles took place while he was in power!
при is used with the prepositional case to convey "while someone is in power" or "while someone is alive", "while something is happening" etc.
При Горбачёве был введён сухо́й зако́н.
In Gorbachov's time a drinking law was introduced.
Шко́лы закрыва́ют при о́чень си́льных моро́зах.
They close the schools when there are very severe frosts.

за два дня до вылета - two days before the flight out
за .... до ... plus the genitive is used to convey a period of time before an event:
Дире́ктор шко́лы верну́лся за неде́лю до конца́ учёбного го́да.
The head teacher returned a week before the end of the school year.

Жена запретила ему лететь. His wife had forbidden him to fly.
запреща́ть / запрети́ть - "to forbid" - is followed by the dative case.
Врачи́ запрети́ли ему́ кури́ть. The doctors forbade him to smoke.

имя, похоже на еврейское - a name like a Jewish one
похо́ж - "similar" - is a short adjective. The neuter ending is in -е because an unstressed о cannot follow ж. More examples of the use of похо́ж:

Они́ похо́жи друг на дру́га.	They look like each other.
Она́ похо́жа на ма́му.	She looks like her mum.
Он похо́ж на Тро́цкого.	He looks like Trotsky.

священник огромного роста - a huge priest
рост is used to describe the size of people or animals, but not of anything inanimate:

	мужчи́на высо́кого ро́ста	-	a tall man
or	высо́кий мужчи́на	-	a tall man
but only	высо́кое де́рево	-	a tall tree

Ивану пришлось поехать туда одному. Ivan had to go there on his own.
Here оди́н - "on one's own" refers to Ива́н and declines accordingly in the dative.

Он объяснил, что возвращается ... He explained that he was returning ...
The sequence of tenses in reported speech is different in Russian and English. In Russian the subordinate verb is put into the tense that the speaker actually used.

Это, якобы, опасно, ... They say it is dangerous (but it isn't!), ...
якобы conveys a feeling of doubt about what is being reported. The reporter does not fully believe what he has been told! There is no translation equivalent in English, except sometimes by the use of the word "allegedly" or "supposedly".
Отреставри́ровали монасты́рь, я́кобы на де́ньги прихожа́н.
The monastery had been restored, supposedly with money from the congregation.

на деньги прихожан - with money from the congregation
прихожа́н is the genitive plural of прихожа́нин - "a church-goer".

В Иркутске Ивана встретил шофёр. In Irkutsk Ivan was met by the driver.
Whereas in English the grammatical sense is determined by the word order (subject, verb, object), in Russian the sense is determined by the case endings and the word order is often reversed. Other examples:

Же́нщину укуси́ла соба́ка.	The dog bit the woman. (The woman was bitten by a dog).
На луну́ прилете́ли америка́нцы.	The Americans flew to the moon. (It was the Americans who flew to the moon).

двести двадцать штук - two hundred and twenty of them
шту́ка is used when defining a quantity of countable items. It can usually be translated as "of them" or "pieces". There is no exact equivalent in English.

Оба замолчали. They both went silent.
о́ба - "both" - has a plural declension which is similar to that of an adjective. Like the numeral два, it has a feminine nominative form in -е: о́бе.
Обе де́вочки танцева́ли. Both the girls were dancing.
Unlike два, this е is present throughout the feminine declension:
Он танцева́л с обе́ими де́вушками. He was dancing with both the girls.

Народу в автобусе немного. There are not many people in the bus.
наро́ду is a partitive genitive. Use the partitive genitive with мно́го etc.:
мно́го наро́ду
ма́ло наро́ду
Contrast this with the normal genitive: во́ля наро́да - "the will of the people".

The partitive genitive in -у or -ю for masculine nouns is commonly used in set phrases and in everyday colloquial speech:
ча́шка ча́ю
стака́нчик чайку́ (a diminutive form, not to be confused with a seagull - ча́йка!)
сто грамм сы́ру
Ты хо́чешь коньяку́?

по многу часов - for lots of hours at a time
мно́го is given this apparently dative ending with по in this set expression.

Христос воскрес! Christ has risen!
воскре́снуть has the past perfective он воскре́с.

УРОК 8 — Упражнения

1. Вопросы к тексту

а. Что ви́дел Ива́н из окна́ самолёта, кро́ме рек, озёр и тайги́?
б. Почему́ он на́чал ду́мать о Рома́не Абрамо́виче?
в. Почему́ Пи́тер не лете́л вме́сте с Ива́ном?
г. Чем занима́лся свяще́нник в Москве́?
д. Отку́да вы зна́ете, что свяще́нник не о́чень хоте́л разгова́ривать с Ива́ном?
е. Почему́ у Ива́на бы́ло мно́го багажа́?
ж. Кто люби́мый писа́тель Ива́на и о чём он пи́шет?

2. Choose words to fill the gaps, changing the endings if needed

а. В Сиби́ри огро́мные ____________________.
б. На не́бе бы́ло ма́ло ____________________.
в. У люде́й нет ________________.
г. Ру́сский олига́рх бога́че англи́йской __________________.
д. Ива́н и Игорь в де́тстве бы́ли ____________________.
е. Жена́ запрети́ла ____________________ лете́ть.
ж. Губерна́тор не отдыха́л пе́ред ___________________.
з. Она́ чита́ла кни́гу "Али́са в стране́ __________________".

муж - пионе́р - короле́ва - о́блако - чу́до - де́ньги
простра́нство - вы́боры

. Choose a noun and an adjective, changing the endings if needed

а. Свяще́нник предложи́л о́чень ________________________________.
б. Инжене́р был ________________________________.
в. Он сра́зу узна́л челове́ка с ________________________________.
г. "Мо́жно зада́ть _____________________________?"
д. Он слу́жит в _____________________________.

дорого́й - дли́нный - правосла́вный - делика́тный - ма́ленький
вопро́с - реставра́ция - во́лосы - рост - це́рковь

4. Choose verbs to fill the gaps. Add present tense endings

а. Они́ ________________ лета́ть самолётами Аэрофло́та.
б. В газе́тах ________________, что он о́чень бога́т.
в. Пассажи́р _________________ о́чень мно́го вопро́сов
г. "Что здесь ____________________?"
д. Он _____________________ их уча́стие в прое́кте.
е. "Во́лга" ______________________ на автостоя́нке.
ж. Туре́цкие мастера́ ____________________ зда́ние гости́ницы.

происходи́ть - боя́ться - стоя́ть - писа́ть - реставри́ровать
опла́чивать - задава́ть

5. Insert phrases with оба, changing the endings as required

а. Он преподава́л в ________________________.
б. Он по́днял су́мку ________________________.
в. Он прочита́л ____________________.
г. Она́ жила́ в ____________________.
д. Ни́на игнори́ровала ______________________.
е. Там распространены́ ______________________.

о́бе руки́ - о́бе шко́лы - о́ба рома́на - о́ба го́рода - о́ба бра́та - о́бе рели́гии

6. Лексика. Find the words

а. окно́ самолёта ____________
б. ты́сяча миллио́нов ____________
в. тот, с кото́рым вы разгова́риваете ____________
г. сиди́т на тро́не ____________
д. простра́нство, покры́тое ле́сом ____________
е. тот, с кото́рым вы учи́лись в шко́ле ____________
ж. тот, с кото́рым вы учи́лись в ВУЗе ____________
з. ме́сто, где стоя́т маши́ны ____________
и. слу́жит в Це́ркви ____________
к. миллиарде́р и́ли мультимиллионе́р, име́ющий влия́ние на поли́тику ____________

одноку́рсник - однокла́ссник - иллюмина́тор - тайга́ - миллиа́рд
олига́рх - царь и́ли цари́ца - свяще́нник - собесе́дник - автостоя́нка

7. Choose appropriate forms of the given verbs to fill the gaps

а. Он сказа́л, что дочь ____________ послеза́втра. — прие́хать
б. Я не знал, что он ____________ два дня наза́д.

в. Мы смотре́ли, как они́ ____________ в по́ле. — рабо́тать
г. Я знал, что он никогда́ не ____________ в газе́те.

д. Я никогда́ не встреча́л челове́ка, кото́рый ____________ так мно́го бесполе́зной информа́ции. — знать

е. Скажи́те мне, что вы ____________ о ней. — узна́ть

ж. Он призна́лся, что ____________ её ра́ньше, но тепе́рь бо́льше не ____________. — люби́ть

з. Вы говори́ли, что ____________ вчера́! (You said you would come yesterday!) — прие́хать

8. Answer the questions using the names given and using при in your answer

При како́м руководи́теле произошли́ сле́дующие собы́тия в Росси́и / СССР?
а. Кари́бский кри́зис.
б. Коллективиза́ция.
в. Пе́рвый полёт в ко́смос.
г. Олимпи́йские и́гры в Москве́.
д. Нача́ло Чече́нской войны́.

При ком бы́ли введены́ сле́дующие зако́ны и́ли ме́ры в Росси́и / СССР?
е. Сухо́й зако́н.
ж. Ва́учеры на приватиза́цию со́бственности.
з. Зако́н о стри́жке бороды́.
и. Декре́т об электрифика́ции страны́.
к. Контро́ль над олига́рхами.

Хрущёв - Ста́лин - Горбачёв - Ельцин - Пу́тин - Бре́жнев
Пётр Пе́рвый - Ле́нин

9. Answer the questions using the words given and using при in your answer

а. Когда́ закрыва́ют шко́лы?
б. Когда́ "Пра́вда" была́ гла́вной газе́той СССР?
в. Когда́ ну́жно принима́ть аспири́н?
г. Когда́ был Англо-Аргенти́нский конфли́кт?
д. Когда́ снесли́ берли́нскую сте́ну?
е. Когда́ быва́ют наводне́ния?
ж. Когда́ на́до закры́ть о́кна и вы́йти на у́лицу?
з. Когда́ начала́сь чече́нская война́?
и. Когда́ бы́ли ми́рные револю́ции в Гру́зии и в Украи́не?

консерва́торы - коммуни́сты - си́льные моро́зы - си́льный дождь
Пу́тин - Ельцин - Горбачёв - пожа́р - высо́кая температу́ра

10. Use якобы to combine the phrases and make sense

а. Она прошла́ ми́мо,
б. Этот но́вый зако́н
в. Тро́цкий
г. Дохо́ды от прода́жи не́фти
д. Сове́тские та́нки пришли́
е. Фигури́ст упа́л, но сде́лал вид,
ж. Слу́шая преподава́теля, он кива́л голово́й,
з. Опозда́в на по́езд она́ сказа́ла, что
и. У олига́рхов огро́мные су́ммы де́нег,

всё понима́я - зарабо́танные че́стным о́бразом - перепу́тала расписа́ние
не узна́в меня́ - на по́мощь че́хам - измени́л Сове́тскому Сою́зу
бу́дут испо́льзованы для наро́да - так и бы́ло заплани́ровано
защища́ет пенсионе́ров

Советский танк в Праге, 1968

1. Устная работа в парах

Задайте вопросы и расскажите друг другу о том, как Вы куда-либо летали?
- Когда это было?
- Куда Вы летели? Откуда?
- Почему Вы выбрали самолёт, вместо того, например, чтобы ехать поездом?
- На каком самолёте Вы летели?
- Где Вы сидели в самолёте?
- Что было видно в иллюминатор?
- С кем Вы сидели? О чём Вы разговаривали с ним / с ней?

2. Устная работа в группе. О русской литературе

Посмотрите на список русских литераторов и ответьте на вопросы.

Ахматова, Блок, Бродский, Булгаков, Гоголь, Горький, Достоевский, Евтушенко, Есенин, Лермонтов, Маяковский, Маршак, Окуджава, Пастернак, Пушкин, Распутин, Симонов, Толстой, Чехов, Шолохов.

- Кто из них писал в XIX-м веке, кто в XX-м?
- Кто из них ещё жив?
- Каких русских авторов Вы знаете, которые не включены в этот список?
- Кто из них писал в эмиграции?
- Назовите некоторые из их произведений и расскажите, о чём они писали.
- Определите, в каких из следующих жанров они писали:

  поэзия - исторические романы - психологические романы
  соцреализм - рассказы - юмористические рассказы
  стихотворения для детей - пьесы

- Кого из этих авторов Вы читали?
- Их произведения Вам понравились? Почему? / Почему нет?
- Кто Ваш самый любимый автор? Почему?

3. Напишите электронное письмо Питера Смита Ивану Козлову

Питер пишет, что он не может поехать с Иваном в Байкальск, и объясняет причины своего отказа. Он даёт инструкцию о том, что Ивану надо сделать в связи с экспериментом. Он заранее благодарит Ивана и извиняется, что не сможет поехать туда с ним.

Полезные слова и выражения:

категорически против	остаться вдовой	несложно
бояться самолётов	с другой стороны	собрать
летать	ненадёжная авиакомпания	расплатиться
глупо	опытные пилоты	послать
более опасно переходить улицу	без меня	просить прощения

Начните так:

Дорогой Иван!
Я должен перед тобой извиниться ...

4. Обсудите в группе следующие цитаты:

а. “Религия - это опиум для народа”. Карл Маркс
б. “Даже если бы Бога не было, людям пришлось бы его выдумать”. Ф. Вольтер

5. Составьте диалоги

а. Разгово́р Ива́на с правосла́вным свяще́нником в самолёте.

Иван

Ива́н спра́шивает ба́тюшку о причи́не его́ полёта.

Ива́н спра́шивает, что за конфере́нции мо́гут быть у свяще́нников.

Ива́н интересу́ется, каки́е вопро́сы они́ там обсужда́ют.

Ива́н говори́т, что в его́ родно́м го́роде Сара́нске то́лько что отли́чно отреставри́ровали монасты́рь.

Ива́н говори́т, что ба́тюшка де́лает о́чень благоро́дное де́ло, и спра́шивает, мо́жно ли зада́ть ему́ не совсе́м такти́чный вопро́с.

Ива́н говори́т, что в тече́ние полуго́да почти́ ка́ждый день проезжа́л по у́трам ми́мо монастыря́, где шла рабо́та. Он ви́дел на стройплоща́дке мно́го маши́н, материа́лов и рабо́чих, одна́ко ни ра́зу не ви́дел там ни одного́ мона́ха.

Ива́н добавля́ет, что ему́ непоня́тно, отку́да у Це́ркви таки́е больши́е де́ньги.

Батюшка

Ба́тюшка отвеча́ет, что он возвраща́ется в Ирку́тск по́сле конфере́нции.

Ба́тюшка отвеча́ет, как ва́жно духо́вным ли́цам встреча́ться на подо́бных семина́рах и обсужда́ть пробле́мы Це́ркви.

Ба́тюшка говори́т, что таки́х вопро́сов – мно́жество, наприме́р, пробле́ма реставра́ции церкве́й и собо́ров в провинциа́льных города́х Росси́и.

Свяще́нник кива́ет и говори́т, что зна́ет про э́ти реставрацио́нные рабо́ты и подде́рживает их.

По́сле небольшо́й па́узы свяще́нник отвеча́ет, что, коне́чно, мо́жно.

Ба́тюшка замеча́ет, что он не по́нял смы́сла вопро́са Ива́на.

Вме́сто отве́та, ба́тюшка извиня́ется и встаёт, говоря́, что ско́ро бу́дут разноси́ть обе́д и ему́ на́до помы́ть ру́ки.

Реставрация монастыря

духо́вное лицо́	-	man of the cloth
подо́бный	-	such, similar
кива́ть	-	to nod
благоро́дный	-	noble
монасты́рь (m.)	-	monastery
стройплоща́дка	-	building site
мона́х	-	monk
смы́сл	-	the meaning
разноси́ть	-	to carry round

б. Прие́хав в Байка́льск и встре́тившись с Игорем Абра́мовичем, Ива́н звони́т Пи́теру в Ке́мбридж.

Иван	**Питер**
Ива́н говори́т, кто у телефо́на и отку́да он звони́т.	Пи́тер отвеча́ет, что он о́чень рад слы́шать Ива́на.
Ива́н отвеча́ет, что он всё понима́ет, что тако́е ча́сто быва́ет в жи́зни и что он жале́ет то́лько, что у него́ самого́ нет молодо́й жены́, кото́рая могла́ бы его́ держа́ть до́ма.	Пи́тер повторя́ет свои́ извине́ния в том, что он не е́дет в Байка́льск. Он объясня́ет пробле́му с жено́й.
Ива́н соглаша́ется, что там, действи́тельно, о́чень краси́во. Он рекоменду́ет интерне́товский сайт www.magicbaikal.ru , где Пи́тер мо́жет посмотре́ть мно́го краси́вых фотогра́фий о́зера.	Пи́тер говори́т, что он всю жизнь мечта́л о пое́здке на Байка́л и о́чень хоте́л бы там побыва́ть.
Ива́н говори́т, что всё понима́ет. Он перечисля́ет всё, что собира́ется сде́лать. Он спра́шивает, как Пи́тер бу́дет опла́чивать его́ услу́ги и расхо́ды.	Пи́тер запи́сывает а́дрес са́йта и благодари́т Ива́на за инфо́рма́цию, но повторя́ет, что он всё-таки хоте́л бы съе́здить туда́ сам. Он спра́шивает, понима́ет ли Ива́н всё, что ну́жно сде́лать в связи́ с экспериме́нтом.
Ива́н удивлён, что у Пи́тера но́вый электро́нный а́дрес с росси́йским прова́йдером. Одна́ко, он не хо́чет сообща́ть свои́ ба́нковские да́нные. Он предпочита́ет, что́бы Пи́тер оплати́л ему́ все расхо́ды нали́чными!	Пи́тер говори́т, что ему́ ну́жен а́дрес ба́нка и но́мер счёта Ива́на. Он даёт но́вый а́дрес электро́нной по́чты для э́той информа́ции: peterandsharon@mail.ru

извине́ние	-	an excuse
держа́ть	-	to hold, keep
перечисля́ть	-	to list
опла́чивать	-	to pay for
услу́ги	-	services
расхо́ды	-	expenses
да́нные	-	details, data
счёт	-	account
нали́чные	-	cash

Приду́майте са́ми подходя́щую концо́вку для э́того разгово́ра!

Интернет - словарь:

интерне́товский сайт	-	internet site
прова́йдер	-	provider

Внимание!
Надо прочитать адреса интернетовских сайтов и адреса электронной почты латинскими буквами (но с русским акцентом)!

Знак “@” называется “собака”.

УРОК 9 — Встреча в Байкальске

Вернувшись в Иркутск после экскурсии, Людмила и Руслан рассказывали дяде Коле обо всём, что они видели на Байкале. Они пробыли у дяди ещё пару дней, потом, рано утром, отправились на электричке в Байкальск, чтобы встретиться с Игорем Абрамовичем. Люда не говорила Руслану, что Игорь Абрамович является его отцом. Она объяснила только, что это её старый знакомый, которого она знает с детства (что было правдой) и которого она глубоко уважает. 3/15

Сначала дорога шла через лес, потом по берегу озера. Электричка ползла вдоль берега, но озера не было видно из-за тумана, стоявшего над поверхностью воды.
К полудню они подъехали к Байкальску. На станции их встречал не Игорь Абрамович, а тот самый бурят, который вёз вчера Ивана Козлова. Бурят сидел за рулём чёрной "Волги", принадлежащей БЦБК.
Руслан поинтересовался:
- Мама, это грузин или азербайджанец?
- Нет, это местный житель - бурят. Не говори громко.

Они сели в "Волгу" и поехали не в сторону комбината, а выехали из города по грунтовой дороге. На вопрос Люды о том, куда они едут, шофёр объяснил, что Игорь Абрамович ждёт их в своём коттедже и что у него там есть ещё один гость, московский бизнесмен и старый знакомый Игоря Абрамовича, приехавший вчера по личному делу. Он добавил, что Игорь Абрамович приготовил уху из омуля (Люда ему не поверила, так как она никогда не видела бывшего мужа у кухонной плиты) и что они пообедают все вместе. 3/16

глубоко́	deeply	принадлежа́ть (imp.)	to belong
уважа́ть	to respect	грузи́н	a Georgian
ползти́ / по-	to crawl	азербайджа́нец	an Adzerbaidjani
вдоль (+ gen.)	along	гро́мко	loudly
пове́рхность (f.)	surface	грунтово́й	soil (adj.) / unmade
по́лдень (m.)	midday	коттедж	detached country house
подъезжа́ть / подъе́хать к	to drive up to	уха́	fish soup
руль (m.)	steering wheel	ве́рить / по-	to believe
за рулём	at the wheel of	кухо́нная плита́	kitchen range, slab

Машина подъехала к большому, недавно построенному коттеджу на краю леса, видимо, принадлежащему Игорю Абрамовичу. Серая овчарка встретила их громким лаем. Водитель сказал, что пса не надо бояться, но сам выходить из машины не стал. 3/17

- Жирик, молчать! - скомандовал Игорь Абрамович, выйдя из дома с полотенцем в руках. Он быстро успокоил овчарку, поприветствовал гостей, поцеловал Люду, пожал руку Руслану и пригласил их в дом.

Войдя в дом, Люда заметила, что всё очень чисто и аккуратно, что мебель итальянская, а обои английские и что во всём как-то чувствуется отсутствие женской руки или семейной жизни.

Вдруг из столовой донёсся знакомый голос. Люда не поверила своим ушам. Такого не может быть! Войдя в столовую, она также не поверила и своим глазам - там сидел Иван Козлов! 3/18

Руслан сразу узнал Ивана, которого он очень любил, радостно подбежал к нему и поздоровался: "Привет, дядя Ваня!". Мальчику всегда было смешно, что это звучит, как чеховская пьеса.

край	edge	чи́стый	clean
ви́димо	clearly	аккура́тно	neat
овча́рка	alsatian	обо́и (m. pl.)	wallpaper
гро́мкий	loud	ка́к-то	somehow
лай	barking	чу́вствоваться / по-	to be felt
води́тель (m.)	driver	отсу́тствие	absence
пёс	dog (m.)	доноси́ться / донести́сь	to reach (of a sound)
кома́ндовать / с-	to command	смешно́	amusing
жать / по-	to press, squeeze	звуча́ть / про-	to sound
пожа́ть руку (+ dat.)	to shake the hand of		

3/19 Иван удивился такому неожиданному совпадению даже больше, чем Люда. Он не знал, что бывшая жена Игоря Абрамовича, о которой тот вчера так нежно рассказывал, была не кто иная, как Людмила Кисина.

Больше всех удивился Игорь Абрамович. Он чувствовал себя неловко при встрече с женой и сыном после такой долгой разлуки, и к тому же, оказалось, что его сын лучше знаком с Иваном, чем с ним.

Последовало долгое молчание, которое, наконец, прервала Люда:
- Господи! Я не ожидала ... Мир тесен!
- Да, очень тесен! Сколько лет, сколько зим!

неожи́данный	unexpected	сле́довать / по-	to follow
совпаде́ние	coincidence	молча́ние	silence
не́жно	tenderly	прерыва́ть / прерва́ть	to interrupt
не кто ино́й, как	none other than	Го́споди!	Good Lord!
нело́вко	awkward	те́сный	crowded, cramped
разлу́ка	separation	Мир те́сен!	It's a small world!

3/20 Последовал долгий разговор. Иван похвастался своей фирмой в Москве. Он недавно стал директором и открыл филиалы в Польше, Румынии, Венгрии, Чешской Республике и Словакии. Перед выборами он даже встречался с мэром Москвы. А потом он рассказал о факсе от Питера.
- А ты попала к Питеру на свадьбу? - спросил он у Людмилы.

Люда покраснела.
- Нет. А что? Он женился? На ком?
- На англичанке. Её зовут Шарон. По-моему, она актриса. Это она запретила ему лететь в Иркутск. Она боится Аэрофлота.
- Это далеко не всё, чего она должна бояться, пробормотал Игорь Абрамович в седую бороду, но все его расслышали. Лицо Люды стало ещё краснее.

хва́статься / по-	to boast	попа́сть на	to get to
филиа́л	branch (of a company)	красне́ть / по-	to blush
вы́боры	elections	бормота́ть / про-	to mutter
мэр	mayor	рассль́ышать	to overhear

3/21 Хозяин встал, наполнил всем рюмочки и начал произносить тост за встречу:
- Друзья! Спасибо, что собрались у меня! О друзьях помнят не только в их присутствии, но и в их отсутствии. Выпьем за дружбу и за встречу!

Иван засмеялся. Вспоминая о Питере, ему всегда приходил в голову их разговор о рыбалке, о том, как англичане, поймав рыбу, даже форель, отпускают её обратно в воду, а затем для еды покупают рыбу в супермаркете. Ему самому́ захотелось произнести тост. Он встал, предложил всем наполнить рюмки и произнёс:
- Давайте выпьем за моего самого лучшего друга Питера, из-за которого мы все собрались здесь! Выпьем за Питера и за международное взаимопонимание!

Иван обратился к Руслану: 3/22

- Руслан, а ты не хочешь предложить тост?
- Не хочу.
- Не надо, Иван, мальчик стесняется.
- Хорошо, тогда я предлагаю тост от имени Руслана. Наливайте! Хорошо.
  Вот тост:
  "Я поднимаю бокал за бокалом! Хочу, чтоб бокал стал огромным Байкалом!"

И все зааплодировали!

наполня́ть / напо́лнить	to fill up	форе́ль (f.)	trout
рю́мочка	small glass	взаимопонима́ние	mutual understanding
произноси́ть / -нести́	to pronounce		
тост	a toast	стесня́ться	to be shy
собира́ться / собра́ться	to meet together	бока́л	goblet
прису́тствие	presence	аплоди́ровать / за-	to applaud
дру́жба	friendship		

Информация

Тосты

Для русских людей слово "застолье" означает праздничную встречу за столом с едой и выпивкой. Во время застолья всегда произносятся тосты.

Принято выпивать только после тоста. В начале обеда все ждут первый тост, который обычно произносит старший по возрасту или по чину, или ближайший друг того человека, в честь которого собралась компания. Рюмку надо выпить до дна.

После первого тоста и первой выпитой рюмки все закусывают и ждут продолжения. А кто произнесёт второй тост? Кто-то скажет: "Между первой (рюмкой) и второй - промежуток небольшой!", затем следует: "Прошу всех наполнить рюмки!", после небольшой паузы: "У всех налито?", и звучит второй тост. Уже после 4-го или 5-го тоста вся организованность пропадает и неформальные тосты продолжаются до конца ужина.

Примеры тостов: 3/24

- *Предлагаю выпить за присутствующих здесь дам, которые пышным букетом украшают наш стол!*
- *Водка - наш враг! Но кто сказал, что мы боимся врагов? Давайте его уничтожим!*

Guess the meanings:
засто́лье
пра́здничный
чин
честь (f.)
дно
продолже́ние
промежу́ток
напо́лнить
организо́ванность (f.)
пропада́ть
пы́шный
украша́ть
враг
уничто́жить

Коттедж под Иркутском

 3/25

Собаки в России

Объявление:
Продается бульдог. Ест все. Любит детей. Тел. 434-40-01

Россияне очень любят собак.

Во-первых, это потому, что собака играет роль сторожа. Если вор услышит лай собаки в квартире или во дворе, он не полезет туда.

Во-вторых, это может быть из-за одиночества, особенно у пожилых людей.

В-третьих, собака выполняет роль помощника человека: например, при охоте, при поиске людей после землетрясения или под завалами снега после лавины, для езды на севере или для обнаружения наркотиков и взрывчатки.

Собака - друг человека.

Породы собак:

афганская борзая
бульдог
бультерьер
бладхаунд
бобтейл
боксёр
бостон терьер
вельш корги пемброк
вест-хайленд-уайт терьер
голден ретривер
грейхаунд
далматинец
доберман
дог
ирландский волкодав
ирландский терьер
йоркширский терьер
кавказская овчарка
кокер спаниель
колли
лабрадор ретривер
лайка
мастиф
московская сторожевая
ньюфаундленд
немецкая овчарка
овчарка
пекинес
пойнтер
питбультерьер
пудель
ротвейлер
русская гончая
русский той-терьер
салюки
самоед
сеттер
скотч терьер
спаниель
стаффордширский бультерьер
такса
уиппет
фокстерьер
чау-чау
чихуа-хуа
шпиц
эрдельтерьер

Темы для дискуссии

1. В спи́ске “поро́ды соба́к” найди́те:
   - 5 охо́тничьих соба́к
   - 5 декорати́вных соба́к
   - 5 сторожевы́х соба́к
   - 5 бойцо́вских соба́к
   - 3 служе́бные соба́ки
   - 1 ездову́ю поро́ду соба́к
   - 3 спорти́вные соба́ки

2. Каку́ю поро́ду соба́к Вы лю́бите бо́льше всех и почему́?

3. Каку́ю поро́ду соба́к Вы лю́бите ме́ньше всех и почему́?

4. Как Вы ду́маете, кто така́я “дворня́жка”?

Багаж (Отрывок). С. Маршак

Дама сдавала в багаж:
Диван,
Чемодан,
Саквояж,
Картину,
Корзину,
Картонку,
И маленькую собачонку.

Вещи везут на перрон.
Кидают в открытый вагон.
Готово. Уложен багаж.
Диван,
Чемодан,
Саквояж,
Картина,
Корзина,
Картонка,
И маленькая собачонка.

Но только раздался звонок,
Удрал из вагона щенок.

Хватились на станции Дно.
Потеряно место одно.
В испуге считают багаж:
Диван,
Чемодан,
Саквояж,
Картина,
Корзина,
Картонка ...
- Товарищи, где собачонка?

Вдруг видят: стоит у колёс
Огромный взъерошенный пёс.
Поймали его - и в багаж,
Туда, где лежал саквояж,
Картина,
Корзина,
Картонка,
Где прежде была собачонка.

Приехали в город Житóмир.
Носильщик пятнадцатый номер
Везёт на тележке багаж:
Диван,
Чемодан,
Саквояж,
Картину,
Корзину,
Картонку ...
А сзади ведут собачонку.

Собака-то как зарычит,
А дама-то как закричит:
- Разбойники! Воры! Уроды!
Собака не той породы!

- Позвольте, гражданка!
На станции
Согласно багажной квитанции,
От вас получили багаж:
Диван,
Чемодан,
Саквояж,
Картину,
Корзину,
Картонку,
И маленькую собачонку.
Однако во время пути
Собака могла подрасти.

3/26

Find the words for:

a basket	Thieves!
the bell	Cretins!
cleared off	receipt
the puppy	to grow a bit
shaggy dog	
a porter	
Bandits!	

Дно is a town in Western Russia, on the main line from Saint Petersburg to Kiev. The word "дно" means "bottom" in the sense "bottom of a well", etc. "Станция Дно" could be translated as "The Pits Station". It is known as the place where Nicholas II decided to abdicate in 1917.

Самуил Маршак (1887-1964)

Один из самых популярных детских поэтов советского времени. Переводчик. Сатирик. Популяризатор английской поэзии в СССР.

Упражнения:

1. Прочитáйте вслух это стихотворéние. Обратúте внимáние на интонáцию стихóв.
2. Напишúте пересkáз стихотворéния в 150 словáх.

3/27

Рыбалка в России

Это занятие очень популярно в России и часто сопровождается приготовлением ухи на костре и, конечно, выпивкой. Рыбалка в России сильно отличается от развлечения английских джентльменов: “fishing”. Основная цель российского рыбака - это поймать рыбу для еды. Чем больше рыбы, тем лучше, меры нет. Выезжают за город, часто берут палатку и рыбачат несколько дней. Ловят не только удочками, но и сетями.

Семейная рыбалка в Сибири на реке Лена. Такую рыбу не отпускают обратно в воду!

Применяются также и незаконные методы. Ловят электроудочками (подают мощный разряд электрической батареи в воду и потом вытаскивают парализованную рыбу). На Дальнем Востоке, осенью, когда рыба идёт на нерест, её колят вилами. Иногда даже ловят с помощью динамита или боевых гранат*. С такими “рыбаками” борьбу ведёт рыбнадзор.

Не останавливается рыбалка и в зимний период. Рыбу ловят сетями из-подо льда. Весной после долгой зимы в озёрной воде подо льдом мало кислорода. Рыбаки вырезают во льду бензопилами большие проруби, и рыба, в поисках кислорода, всплывает наверх. Её буквально гребут лопатами, она быстро замораживается на льду, и её везут на продажу грузовиками.

Есть, конечно, и в России любители, которые ловят рыбу удочкой для удовольствия - в английском стиле, но их не считают настоящими рыбаками!

Пишет Михаил Кукушкин

* см. кинофильм “Пёс Барбос и необыкновенный кросс”. В фильме собака плывёт за динамитом, который рыбаки бросили в озеро, и приносит его обратно!

3/28

Омуль

Омуль - это сибирская рыба, которая обитает в озере Байкал и в сибирских реках. Славится он своим вкусом и своей жирностью. Особенно хорош копчёный байкальский омуль.

The Omul is a Siberian fish which ________________ lake Baikal and Siberian rivers. It is ________________ for its ________ and its oiliness. __________ Baikal Omul is ____________ _________

Find the Russian for:
cooking
a drinking session
campfire
amusement, passtime
food
tent
rod
nets
illegal
paralysed, stunned
spawning
a fork (plural in Russian!)
fishing inspectorate
oxygen
chainsaw
hole in ice
spade
to freeze
lorry
real, genuine

Темы для дискуссии

1. Как Вы ду́маете, почему́ в Росси́и бо́льше едя́т речно́й и озёрной ры́бы, чем в за́падно-европе́йских стра́нах?
2. Как отлича́ется рыба́лка в Росси́и от рыба́лки в Ва́шей стране́?

Национализм в России

"Да здравствует единство и братство трудящихся всех национальностей СССР!"

3/29

В советское время было официально объявлено, что в СССР нет расизма. При социализме люди должны были уважать друг друга, несмотря на цвет кожи и разрез глаз.

Карл Маркс писал: "Не может быть свободен народ, который угнетает чужие народы". Ленин также писал о равноправии наций и языков. В патриотической песне о Советском Союзе пели: "Нет у нас ни чёрных, ни цветных!"

Однако после распада СССР националистические проблемы начали проявляться. Люди нерусской национальности, потеряв активную защиту государства, стали более уязвимы. Нерусские люди рискуют подвергаться дискриминации, а также нападениям националистов.

С конца 80-х годов появились разные политические партии националистического толка, включая "РНЕ", "НБП", "Память", "РНС", "ННП" и "ПРН". Также появилось движение бритоголовых (скинхедов). Были разные нападения и даже погромы с убийствами, например, на Царицынском рынке в Москве в 2001, когда было убито 3 человека (армянин, афганец и индиец).

Политика российских властей в Чечне привела к ряду террористических актов в стране (взрывам жилых домов и в транспорте, захватам заложников и уничтожению самолётов).

Президент Владимир Путин говорит, что Россия неделима, что власти одинаково защищают всех людей, независимо от национальности, и что всех террористов надо уничтожать.

Сейчас в России у граждан нерусского происхождения бывает множество сложностей. Милиция чаще останавливает людей с неславянской внешностью для проверки документов. На улице и в транспорте такие люди подвергаются оскорблениям и даже нападениям националистов.

Find the Russian for:
declared
racism
skin
to opress
equal rights
the break up
to appear
non-russian
protection
vulnerable
to suffer discrimination
attacks
of a nationalist tendency
killings
explosions
the seizure of hostages
destruction
indivisible
in the same way, equally
to protect
to destroy
non-russian origin
appearance
a check
insults

Лозунги на заборе в Воронеже ...

... и в переходе в Москве.

То есть: - "Бери чемодан, иди на вокзал и езжай обратно в свой Баку! "

Чеченская проблема

В августе 1991 года Президент Чечено-Ингушской республики генерал Дудаев объявил о суверенитете. Потом в июне 1992 года ингуши отделились от Чечни и образовалась республика Ингушетия в составе РФ. В 1994 Б.Н. Ельцин ввёл войска в Чечню. Война продолжается до сих пор.

Террористические акты в РФ.

С 1995 года произошёл целый ряд терактов на территории РФ, включая:
- захват 2000 заложников в больнице города Будёновска у чеченской границы (06.95)
- захват 255 человек на пароме в Черном море (01.96)
- взрыв бомбы в торговом центре "Охотный ряд" в центре Москвы (08.99)
- взорваны два дома в Москве (09.99)
- взрыв в подземном переходе у станции метро "Пушкинская" в Москве (08.00)
- около 800 человек захвачены в московском Театральном центре на Дубровке (10.02)
- взрыв в московском метро в час пик (02.04)
- уничтожение двух пассажирских самолётов (08.04)
- захват школы номер 1 в Беслане (09.04).

Find the Russian:	hostage	blown up
sovereignty	frontier	seized
to form	ferry	the rush hour
troops	explosion	destruction
seizure	shopping centre	

3/30

Слушайте!

Прослу́шайте разгово́р с Миха́илом Куку́шкиным о захва́тах и взры́вах в Росси́и.
1. О каки́х тера́ктах в да́нном спи́ске он что́-то говори́т?
2. Како́й тера́кт, о кото́ром он расска́зывает, не включён в спи́сок?
3. Ско́лько люде́й пострада́ло при э́тих траге́диях?

Расистские акты в РФ.

В последнее время количество расистских актов в России также увеличилось :
- Погромы на Ясеневском и на Царицынском рынках в Москве (04.01 / 10.01)
- На Манежной площади в Москве скинхеды убили чеченца (04.01)
- У центра приёма беженцев ООН скинхедами смертельно избит беженец из Анголы (08.01)
- В Воронеже 40 скинхедов убили туниса - студента. Также убит студент иорданец, ножом в сердце (04.03)
- В московском метро группа молодых людей избила четверых кавказцев. Пассажиры рассказали, что молодые люди были острижены наголо, были одеты в короткие чёрные куртки и кричали “Это вам на теракты!” (09.04)
- В московском метро милиционеры избили Героя России, лётчика и помощника депутата Государственной думы, дагестанца Магомеда Толбоева. (09.04)

Find the Russian:	reception centre	a Jordanian
quantity	refugee	shaven
to increase	fatally	jackets
pogrom	a Tunisian	assistant

Темы для дискуссии

1. Лю́ди каки́х национа́льностей упомина́ются в те́ксте?
2. Как Вы ду́маете, почему́ Росси́я не хо́чет дать Чечне́ незави́симость?
3. Сравни́те ситуа́цию в Чечне́ с ситуа́цией в Се́верной Ирла́ндии в 90-ые го́ды.

Они рассказывали дяде обо всём. They told uncle about everything.
In Ruslan 1 you met обо мне - "about me". обо is also used in the phrase обо всём - "about everything".

Электричка ползла вдоль берега. The electric train crawled along the bank.
ползти́ / поползти́ - "to crawl" - has irregular past tense endings:

он, я, ты полз - она, я, ты ползла́ - они, мы, вы ползли́

Like other verbs of motion (lesson 3), this verb has a third, indefinite, infinitive, for crawling in general, regularly, etc. - по́лзать.
Prefixes can be added to both по́лзать and to ползти́ for crawling in, out, across, etc.

Де́ти вы́ползли из-под стола́.	The children crawled out from under the table.
Он перепо́лзал че́рез двор.	He was crawling across the yard.

из-за тумана - because of the fog
из-за plus the genitive has two meanings "as a result of" or "from behind":

Он пропусти́л уро́к из-за боле́зни.	He missed the lesson because of an illness.
Он появи́лся из-за пала́тки.	He appeared from behind the tent.

к полудню - towards midday
по́лдень (m.) - "midday" and по́лночь (f.) - "midnight" both decline, and both insert the letter -у́- in the declension. Examples:

Он прие́дет до полу́дня.	He will come before midday.
Около полу́ночи пошёл дождь.	It started raining about midnight.

коттедж на краю леса - a house on the edge of the forest
The masculine locative singular in -у́ is in Ruslan 1. Certain soft masculine nouns have a similar locative in -ю́: край - на краю́ - "on the edge", бой - в бою́ - "in battle".

Собака встретила их громким лаем. The dog greeted them with loud barking.
There are different words for animal noises:

соба́ка	лай	ла́ять	ло́шадь	ржа́ние	ржать
ко́шка	мяу́канье	мяу́кать	медве́дь	рыча́ние	рыча́ть
коро́ва	мыча́ние	мыча́ть	волк	вытьё	выть

"С волка́ми жить - по во́лчьи выть!"

Пса не надо бояться. You shouldn't be afraid of the dog.
In lesson 2 we saw that лёд - "ice" - loses the ё when it adds endings, and inserts -ь-. Nouns, like пёс - "a dog" - where the ё is not preceded by л, н or р, also lose the ё but do not replace it.

Он не стал выходить из машины. He didn't get out of the car.
This construction with стать suggests that he thought better of it!

выйдя из дома - coming out of the house
Compound verbs of motion with an infinitive in -йти have a past gerund in -йдя:

войдя́ в дом	-	going in to the house
пройдя́ кварта́л	-	going past the block

"Жирик, молчать!" "Zhirik, be quiet!"
The infinitive can be used for a command and for instructions:

Не кури́ть!	No smoking!
Вы́мыть свёклу ...	Wash the beetroot ...

Опасная зона!
Машины не ставить.

Мир тесен. It's a small world.

тéсен is a short adjective from тéсный - "crowded".
A buffer vowel, either -е-, -о- or -ё-, is
inserted between the two final consonants of the masculine
short form of most adjectives that have two consonants
together before the long form ending -ый
-е- is the most frequent :

Из нóмера вúден Кремль.	The Kremlin is visible from the room.
Председáтель бóлен.	The chairperson is ill.
Клещ актúвен в июне.	The tick is active in June.

-о- and -ё- are also used :

Стадиóн был пóлон.	The stadium was full.
Он óчень силён и умён.	He is very strong and clever.

There is no vowel inserted between с and т and in certain other cases:

Гóрод пуст.	The town is empty.
Он мёртв.	He is dead.

Remember the short form ending when the adjective stem ends in a single consonant:

Он жив и здорóв.	He is alive and well.

There are many adjectives which are not normally used in a short form. These include most adjectives of colour (when used to denote colours rather than figuratively):

Травá зелёная.	The grass is green.

But note:

Ты зéлен.	You are green (inexperienced).

Other adjectives which do not normally have short forms also include adjectives of time or place (дневной, местный) , adjectives that denote substances (золотой), ordinal numbers (первый etc.), and adjectives in -ский (although the latter often have synonyms in -ичный which do have short forms).

The short adjective рад has no long form, although радостный means "joyful".

Stress patterns in the short form of the adjective

These are variable, learn them as you meet them.
Sometimes they stay on the stem: красúв, красúва, красúво, красúвы
Sometimes they move to the ending, but do not always stay there!

хорóш, хорошá, хорошó, хорошú
жив, живá, жúво, жúвы
вúден, виднá, вúдно, видны́

When to use the short form of the adjective

It is the long form of the adjective that is used in front of the noun as a direct qualifier:

крáсный карандáш - a red pencil

Both long and short form adjectives may be used as a predicate. In this position long form adjectives usually imply a permanent characteristic:

Карандáш крáсный. The pencil is red.

Short forms are only used predicatively. They usually describe a temporary state or a state that depends on external factors :

Он гóлоден.	He is hungry.	(temporary state)
Ночь тихá.	The night is quiet.	(temporary state)
Улица узкá для грузовикóв.	The road is narrow for lorries.	(external factor)

Short adjectives may be preferred to long adjectives in poetic or formal language.

There can be differences in meaning between the short and long adjective:

Музыка́нт жив.	The musician is alive.
Его́ му́зыка жива́я.	His music is lively.

Some short adjectives for sizes have the specific meaning "too ...." (Ruslan 2 Lesson 6)

Эта ю́бка велика́.	This skirt is too big.
Носки́ длинны́.	The socks are too long.

Он пожал руку Руслану.   He shook Ruslan's hand.
In this sentence the dative is used in preference to a possessive construction.

Донёсся знакомый голос.   A familiar voice reached (them).
The verb донести́сь - "to reach" is used mostly for sounds. It has the past endings:
он донёсся - она́ донесла́сь - они́ донесли́сь

чеховская пьеса - a Chekhov play
Adjectives can be formed from most Russian surnames that do not end in -ский, -ий or -ой. These adjectives have a small letter, unless they are being used in a place name:

Пу́шкин - пу́шкинская поэ́ма - a Pushkin poem
Ле́нин - Ле́нинский проспе́кт - Lenin Avenue

but:

Достое́вский - рома́н Достое́вского - a Dostoyevsky novel

Господи!   My Lord!
This is an example of an old vocative case, which remains in use in certain set phrases, such as: Бо́же мой! - "My God!". This case is also used colloquially, see lesson 10.

Упражнения

1. Вопросы к тексту

а. Русла́н знал, что Игорь Абра́мович - его́ оте́ц?
б. Что Русла́н знал о нём?
в. Что они́ ви́дели из окна́ по́езда?
г. Лю́да пове́рила, что Игорь Абра́мович сам пригото́вил обе́д?
д. Почему́? / Почему́ нет?
е. Како́е впечатле́ние сложи́лось у Лю́ды от до́ма бы́вшего му́жа?
ж. Каки́м о́бразом Лю́да узна́ла Ива́на Козло́ва?
з. Чему́ удиви́лся Ива́н?

2. Лексика. Find the words

обо́и - по́лзать
котте́дж - о́муль
уха́ - лай - пёс
тишина́ - молча́ние
по́лдень - по́лночь

а. ходи́ть на четвере́ньках ______________
б. 12.00 часо́в дня ______________
в. 12.00 часо́в но́чи ______________
г. большо́й дом за́ городом ______________
д. суп из ры́бы ______________
е. сиби́рская ры́ба ______________
ж. соба́ка ______________
з. го́лос соба́ки ______________
и. бума́га для стен ______________
к. отсу́тствие шу́ма ______________
л. когда́ челове́к не говори́т ______________

3. Find the second half of the sentences:

а. Сце́ны не́ было ви́дно ...
б. Я опозда́л на по́езд ...
в. Мы не игра́ли в те́ннис ...
г. Тури́ст не мог засну́ть ...
д. Ба́бушка упа́ла ...
е. Во́ва не пошёл в шко́лу ...
ж. Пенсионе́р реши́л не лечи́ться ...
з. Нару́шена споко́йная жизнь обы́чных люде́й ...

из-за сме́ны расписа́ния.
из-за ско́льзкой доро́жки.
из-за ситуа́ции в Чечне́.
из-за дождя́.
из-за сме́ны часовы́х поясо́в.
из-за боле́зни.
из-за сидя́щего впереди́ баскетболи́ста.
из-за высо́кой цены́ на медикаме́нты.

4. Choose words to fill the gaps, changing the endings if needed

а. Тума́н стоя́л над ________________ воды́.
б. Они́ бы́ли там ________________ дней.
в. Она́ зна́ет его́ с ________________.
г. Шофёр не до́лжен звони́ть за ________________.
д. Ме́стные ________________ голосова́ли за мэ́ра.
е. Котте́дж стоя́л на ________________ ле́са.
ж. Он не пове́рил свои́м ________________.
з. Ей не спало́сь из-за постоя́нного ________________ соба́ки во дворе́.
и. Заче́м он отпусти́л ры́бу обра́тно в ________________?

жи́тель - край - де́тство - руль - глаза́ - пове́рхность
па́ра - лай - вода́

5. Choose verbs to fill the gaps. Add the necessary present tense endings

а. Мужчи́на ________________ расстро́енную жену́.
б. Мы не ________________, что э́то ва́ша рабо́та.
в. Ребёнок ________________ по ковру́.
г. Маши́на ________________ фи́рме.
д. Все ________________ ветера́нов войны́.
е. Тума́н ________________ над водо́й.

стоя́ть - ползти́ - уважа́ть - ве́рить - успока́ивать - принадлежа́ть

6. Fill the gaps with short form adjectives formed from the adjectives given

а. Авто́бус был ________________ наро́ду.
б. Он ________________ мое́й рабо́той.
в. Росси́я ________________ не́фтью.
г. Он сли́шком ________________, что́бы служи́ть в а́рмии.
д. Мы вам ________________ за по́мощь.
е. Он доста́точно ________________, что́бы не рискова́ть свое́й карье́рой.
ж. Жизнь ________________.
з. Куре́ние ________________ для ва́шего здоро́вья.
и. Он не у́мер! Он ________________ и ________________.
к. Ночь ________________. Приро́да спит.
л. Клие́нт всегда́ ________________!

по́лный - коро́ткий - живо́й - бога́тый - молодо́й - дово́льный
благода́рный - у́мный - ти́хий - опа́сный - пра́вый - здоро́вый

7. Adjectives with clothes

а. Ко́стя покупа́ет ту́фли. Ему́ ну́жен 42-й разме́р. — мал / вели́к
Ту́фли 43-го разме́ра бу́дут ________________ ,
а ту́фли 41-го разме́ра бу́дут ________________.

б. Ка́тя покупа́ет ю́бку. Ей ну́жен 44-й разме́р. — у́зок / широ́к
Кра́сная ю́бка 42-го разме́ра бу́дет ________________ ,
а зелёная ю́бка 46-го разме́ра бу́дет ________________.

8. Use short or long form adjectives to complete the sentences

а. Это о́чень ________________ фильм. — ску́чный
б. Это бы́ло так ________________.
в. Она́ была́ ________________ мое́й рабо́той. — дово́льный
г. У неё был о́чень ________________ вид.
д. Он был ________________ по́сле опера́ции. — бле́дный
е. У него́ был ________________ вид.
ж. Этот факт мне ________________. — изве́стный
з. Это о́чень ________________ же́нщина.
и. Эти витами́ны ________________ для здоро́вья — поле́зный
к. Спаси́бо за ________________ информа́цию!
л. Это о́чень ________________ челове́к. — опа́сный
м. Эта у́лица ________________ для велосипеди́стов.

Языковая практика

1. Устная работа в парах

Вы должны́ пойти́ на торже́ственный обе́д. Приду́майте, в честь чего́ он прово́дится, где состоится, кто придёт на обе́д, кто его́ хозя́ин и кто явля́ется са́мым ва́жным го́стем. Произнеси́те не́сколько то́стов для э́того ве́чера из предло́женных тем:

- тост за ва́жного го́стя
- тост за его́ супру́гу / её му́жа
- тост за хозя́ина
- тост за по́вара
- тост за же́нщин вообще́
- отве́тный тост за мужчи́н
- тост за междунаро́дное взаимопонима́ние
- тост за мэ́ра го́рода.
- тост за Ва́шу супру́гу / Ва́шего му́жа
- тост за ру́сский язы́к
- тост за Ва́шего преподава́теля
- тост за дру́га или колле́гу
- тост за Ва́шего нача́льника

2. Выучите анекдот 3/31

Два рыбака пошли зимой рыбачить. Нашли лёд, выпили по рюмке, взяли бур, сделали дыру во льду. С неба слышен громкий голос:
- Здесь рыбы нет!
Думая, что Бог должен знать, где рыба, рыбаки взяли вещи, перешли на другое место, выпили ещё по рюмке, взяли бур, сделали ещё дыру во льду.
С неба опять слышен громкий голос:
- И здесь рыбы нет!
Рыбакам надоело постоянно перемещаться.
Если Бог добрый, то он должен помочь им.
Рыбаки кричат вверх:
- Тогда скажите, пожалуйста, где она есть?
Из громкоговорителя отвечают:
- Я не знаю. Это хоккейная площадка!

Guess the meanings:
бур
дыра́
посто́янно
перемеща́ться
вверх
громкоговори́тель (m.)

3. Устная работа в парах

Посмотри́те на спи́сок и на карти́нки ра́зных ви́дов рыб и моллю́сков. Определи́те, каки́е из них морски́е, а каки́е пресново́дные. (Не́которые из рыб во́дятся как в пре́сной, так и в морско́й воде́).

сельдь - макре́ль - лосо́сь - форе́ль - о́муль - карп
туне́ц - осётр - краб

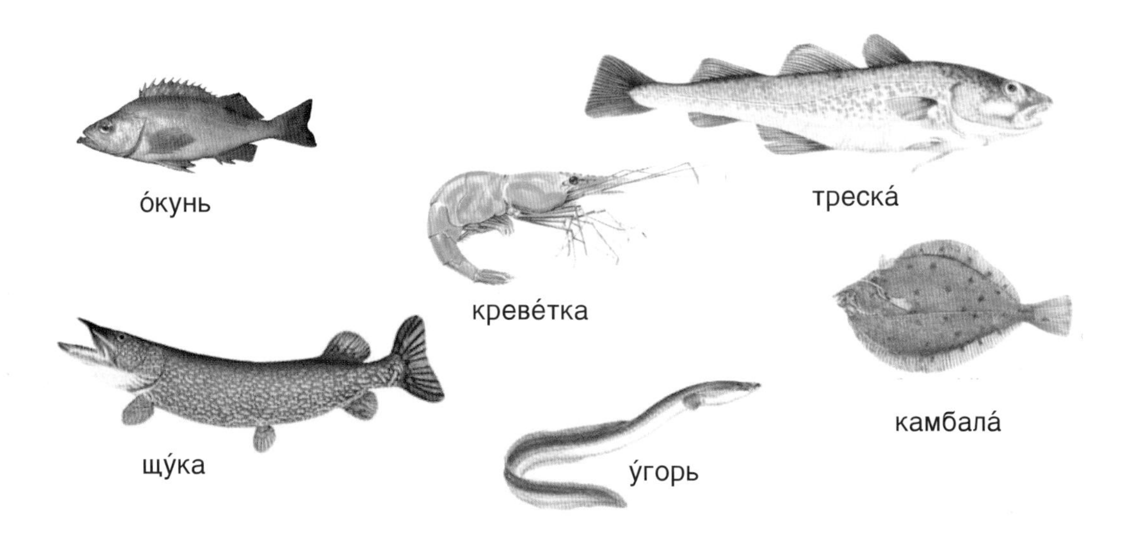

Каки́х из э́тих рыб Вы регуля́рно еди́те?
Каки́х из них Вы когда́-либо е́ли? Когда́ и где э́то бы́ло?
Кака́я из них Вам бо́льше и́ли ме́ньше нра́вится?
Каку́ю из них Вы никогда́ не е́ли?

4. Устная работа в парах

Посмотри́те на ка́рту Росси́и и бы́вших Сою́зных респу́блик (стр.161).

а. Найди́те на ка́рте но́вые госуда́рства (см. № 1-14):
Азербайджа́н - Арме́ния - Белару́сь - Гру́зия - Казахста́н - Киргизста́н
Ла́твия - Литва́ - Молдо́ва - Таджикиста́н - Туркмениста́н - Узбекиста́н
Украи́на - Эсто́ния

Каки́е из э́тих но́вых госуда́рств уже́ вошли́ в Евросою́з?
Каки́е из них плани́руют сде́лать э́то в бу́дущем?

Как называ́ются национа́льности их жи́телей?
Како́й у них язы́к?

Что ещё Вы зна́ете о не́которых из них?

Сло́жные фо́рмы:
армя́не
латыши́
лито́вцы
молдова́не

б. Найди́те на ка́рте сле́дующие субъе́кты РФ (см. № 15-23):
Респу́блика Буря́тия - Респу́блика Дагеста́н - Евре́йская Автоно́мная Область
Ингу́шская Респу́блика - Респу́блика Татарста́н - Чече́нская Респу́блика
Чуко́тский Автоно́мный Округ - Респу́блика Саха́ (Яку́тия).

Как называ́ются национа́льности их жи́телей?
Како́й у них язы́к?
Что ещё Вы зна́ете о не́которых из них?

Сло́жная фо́рма:
чу́кчи

Карта Российской Федерации и бывших Советских Республик
1
2
3
4
5
6
7
8
9
10
11
12
13
14
15
16
17
18
19
20
21
22
23
Масштаб:
500км.
Граница бывших Союзных республик:
Граница субъектов РФ:

3/32 **5. Слушайте! Как приготовить борщ (на 16 человек)**

Прослу́шайте за́пись и запиши́те инфинити́вы глаго́лов.

Продукты:

Свёкла	8 штук	Beetroot
Морковь	2 штуки	Carrot
Картошка	5 штук	Potato
Лук	1 штука	Onion
Капуста	полкило	Cabbage
Помидоры	полкило	Tomatoes
Чеснок	3 зубчика	Garlic. 3 cloves.
Тархун, петрушка, соль		Tarragon, parsley, salt
Лимон и свежий перец		Lemon and fresh pepper
Мясной или овощной бульон		Meat or vegetable stock
Сметана или йогурт		Sour cream or yoghurt

1. Вымыть и ____________ неочищенную свёклу.
2. ____________ мясной бульон*.
3. В бульон ____________ очищенную морковь и помидоры.
4. ____________ свёклу.
5. ____________ овощи из бульона.
6. В бульон ____________ порезанную картошку.
7. ____________ мелко порезанный лук на сковородке до золотистого цвета.
8. ____________ свёклу и морковь.
9. В сковородку ____________ натёртую свёклу и морковь
   и продолжать ____________.
10. Капусту ____________ и ____________ в бульон.
11. ____________ помидоры и ____________ на сковородку.
12. ____________ чеснок и ____________ на сковородку.
13. ____________ поджарку из сковородки в бульон и слегка
    ____________ на маленьком огне несколько минут.
    ____________ и ____________ свежий перец и лимон.

*Для вегетарианцев можно использовать вегетарианский бульон.

Борщ готов. Можно подавать со сметаной или с йогуртом. Приятного аппетита!
Это будет очень вкусный русский борщ!

до золоти́стого цвета	until a golden colour
поджа́рка	the fried ingredients
сковоро́дка	frying pan

Инфинитивы глаголов в алфавитном порядке

вы́ложить	to take out	натере́ть	to grate	(под)жа́рить	to fry (for a bit)
вы́мыть	to wash	отвари́ть	to cook	поре́зать	to cut up
вы́нуть	to take out	очи́стить	to clean (peel)	посоли́ть	to salt
доба́вить	to add	навари́ть	to cook	протере́ть	to sieve
измельчи́ть	to cut up small	подава́ть	to serve		

Русская пословица:

“Рецептов борща уйма. Сколько хозяек - столько и рецептов!”

6. Работа в парах

Запо́мните реце́пт борща́. Пото́м перескажи́те его́ друг дру́гу без те́кста.

7. Пишите!

Напиши́те реце́пт Ва́шего люби́мого блю́да. Пригото́вьте спи́сок ну́жных проду́ктов и инстру́кцию. По́сле прове́рки реце́птов преподава́телем, прочита́йте Ваш реце́пт други́м студе́нтам. До́ма они́ смо́гут пригото́вить блю́до по Ва́шему реце́пту.

8. Составьте диалоги!

а. Русла́н расска́зывает дя́де Ко́ле про экску́рсию на Байка́л.

Дядя Коля	**Руслан**
Дя́дя Ко́ля спра́шивает Русла́на, понра́вилось ли ему́ на Байка́ле.	Русла́н отвеча́ет, что пое́здка была́ о́чень интере́сной и не то́лько из-за самого́ Байка́ла, а ещё и потому́, что они́ е́здили с таки́ми интере́сными людьми́, как Тимофе́й Никола́евич и Вади́м Зво́нов.
Дя́дя Ко́ля спра́шивает Русла́на, что́ ему́ понра́вилось бо́льше всего́.	Русла́н отвеча́ет, что его́ порази́ла приро́да Байка́ла, что они́ е́ли байка́льского о́муля и ви́дели не́рпу. Он та́кже расска́зывает дя́де Ко́ле, кака́я прозра́чная и холо́дная вода́ в о́зере и како́е оно́ огро́мное, совсе́м как мо́ре.
Дя́дя Ко́ля спра́шивает Русла́на, о чём ему́ расска́зывали его́ но́вые знако́мые.	Русла́н говори́т, что Вади́м Зво́нов расска́зывал о загрязне́нии окружа́ющей среды́ и о том, как ме́стный ЦБК вреди́т Байка́лу, и что он бу́дет снима́ть на э́ту те́му документа́льный фильм.
Дя́дя Ко́ля интересу́ется, что говори́л Русла́ну Тимофе́й Никола́евич.	Руслан отвеча́ет, что с Тимофе́ем Никола́евичем они́ разгова́ривали на соверше́нно другу́ю те́му, а и́менно: про ста́линские репре́ссии.
Дя́дя Ко́ля спра́шивает Русла́на, бы́ло ли ему́ интере́сно разгова́ривать о Ста́лине и всё ли он по́нял.	Русла́н говори́т, что э́та те́ма его́ о́чень заинтересова́ла, что он всё по́нял и бу́дет гора́здо внима́тельнее слу́шать учи́тельницу на уро́ках исто́рии.
Дя́дя Ко́ля говори́т, что на́до внима́тельно слу́шать всех учителе́й. Он спра́шивает о том, каки́е предме́ты Русла́н лю́бит в шко́ле и по каки́м предме́там у него́ пятёрки.	

Приду́майте са́ми подходя́щую концо́вку для э́того разгово́ра.

порази́ть	-	to amaze
прозра́чный	-	transparent
вреди́ть	-	to harm
пятёрка	-	top mark in Russian school system

б. Лю́да звони́т свое́й подру́ге Тама́ре в Москву́.

Люда	Тамара
«Приве́т, Тама́рка!»	«Лю́дочка, э́то ты?!»
Лю́да говори́т, что она́ соску́чилась по Тама́ре и по Москве́.	Тама́ра отвеча́ет, что она́ ужа́сно ра́да слы́шать Лю́ду и спра́шивает, что но́венького в Лю́диной жи́зни.
Лю́да отвеча́ет, что новосте́й полно́: во-пе́рвых, она́ встреча́лась с бы́вшим му́жем, а во-вторы́х, она неожи́данно столкну́лась у него́ в гостя́х с Ива́ном Козло́вым, что её да́же бо́льше взволнова́ло.	Тама́ра спра́шивает, как живёт Игорь Абра́мович.
Лю́да отвеча́ет, что он в по́лном поря́дке: при деньга́х и вла́сти, вот то́лько дома́шнего ую́та не хвата́ет; у́жин был вку́сным и оби́льным. Одна́ко, чу́вствуется его́ одино́кость.	Тогда́ Тама́ра интересу́ется, влюблён ли всё ещё Ива́н в Людми́лу.
Лю́да отвеча́ет без ло́жной скро́мности, что, наве́рное, да, но что это соверше́нно бесперспекти́вно и не смо́жет име́ть продолже́ния.	
Лю́да спра́шивает Тама́ру, по́мнит ли она́ англича́нина Пи́тера.	Тама́ра отвеча́ет, что, коне́чно, по́мнит.
Лю́да говори́т, что Пи́тер, очеви́дно, излечи́лся от любви́ к ней, поско́льку неда́вно жени́лся на англича́нке по и́мени Ша́рон, кото́рая де́ржит Пи́тера до́ма и не пусти́ла его́ в пое́здку в Росси́ю.	Тама́ра интересу́ется, как э́то возмо́жно.
Лю́да отвеча́ет, что да́же о́чень возмо́жно, поско́льку Ша́рон заяви́ла Пи́теру, что она́ бои́тся за его́ жизнь и не разреша́ет ему́ лета́ть Аэрофло́том.	
Лю́да, в свою́ о́чередь, интересу́ется ли́чной жи́знью Тама́ры.	Тама́ра отвеча́ет, что всё без осо́бых измене́ний.
Тогда́ Лю́да проща́ется с Тама́рой до ско́рой встре́чи в Москве́.	

соску́читься по (perf.)	-	to miss
столкну́ться	-	to bump into
взволнова́ть	-	to worry
ую́т	-	comfort
ло́жный	-	false
скро́мность (f.)	-	modesty
бесперспекти́вно	-	without a future
излечи́ться	-	to cure oneself

УРОК 10 — Мечты о будущем

Читателю, конечно, хотелось бы узнать, как закончится история Людмилы Кисиной и её сына Руслана. Автор также хотел бы это знать, но нужно признаться в том, что жизнь не всегда проста и не каждая история имеет свой счастливый конец. Отношения между людьми тесно связаны с социальными и экономическими условиями и с практическими потребностями повседневной жизни. 3/33

Но можно подумать о том, какие обстоятельства повлияют на жизнь нашей героини в ближайшие годы.

чита́тель	reader	обстоя́тельство	circumstance
признава́ться / призна́ться	to confess	влия́ть / по-	to influence
связа́ть	to connect	геро́иня	heroine
потре́бность (f.)	demand	ближа́йший	forthcoming
повседне́вный	daily		

Может быть, Люда захочет переехать жить в Иркутск. Дядя Коля живёт там один в большой квартире, ему нужны поддержка, помощь и компания, и у него хорошие отношения с Русланом. К тому же, он живёт недалеко от отца Руслана, Игоря Абрамовича. Было бы здорово, если бы Руслан смог укрепить свои отношения с папой. И конечно, возможно, что Люда и Игорь возобновят бывшие взаимоотношения. Люда втайне всегда хотела быть супругой важного человека - ей приятно ощущать его силу и влиятельность. Тем более, в Иркутске она уже подружилась с Тимофеем Николаевичем, тоже важным человеком, который, к тому же, явно неравнодушен к ней. 3/34

Однако, чтобы переехать в Иркутск, Люде надо будет найти другую работу и устроить Руслана в новую школу. Конечно, можно было бы продать московскую квартиру, так как в Иркутске квартира уже есть. В Москве она по́ уши в долгах, но в Иркутске, по здешним меркам, она была бы богатой женщиной. На деньги от продажи московской квартиры она могла бы купить даже дачу под Иркутском, где дядя Коля смог бы заниматься огородом и разведением пчёл, о чём он давно мечтает. С такими деньгами также можно было бы подумать о поездках за границу и о покупке машины, и в Иркутске она сможет завести собаку, что она давно хочет сделать. 3/35

переезжа́ть / перее́хать	to move house	устра́ивать / устро́ить	to arrange
подде́ржка	support	по́ уши	up to the ears (see grammar)
здо́рово	splendid	долги́	debts
укрепля́ть / укрепи́ть	to strengthen	зде́шний	local
возобновля́ть / возобнови́ть	to renew	ме́рка	measure, criterion
взаимоотноше́ния	mutual relations	прода́жа	sale
вта́йне	secretly	огоро́д	kitchen garden
супру́га	spouse	разведе́ние	the rearing
си́ла	strength	пчёлы	bees
влия́тельность (f.)	power, influence	поку́пка	the purchase
я́вно	clearly	заводи́ть / завести́	to acquire (an animal)
неравноду́шный	keen on		

Однако Люду беспокоит то, что она часто думает об Иване Козлове и, если она переедет в Иркутск, вряд ли она сможет его часто видеть. Мало шансов, что он регулярно будет посещать столицу Восточной Сибири. 3/36

Да, самый главный аргумент состоит в том, что Иркутск считается далёкой провинцией. Хотя жизнь в Москве и дорогая, там так много разных привилегий и развлечений. Можно ходить на концерты западных звёзд, можно быть в курсе жизни русской элиты, и из Москвы гораздо легче путешествовать. В Москве находятся все иностранные посольства и консульства. Можно получить визу в любую страну, и поездка на запад значительно дешевле. И Юрий Михайлович так много сделал для москвичей в последнее время.

Тем более, в Иркутске собачий холод зимой; тут гораздо холоднее, чем в Москве. Иркутяне говорят, что сухой мороз легче переносится, но Люда не хочет испытывать это на себе!

беспоко́ить	to worry	эли́та	elite
вряд ли	it is doubtful whether	гора́здо	much (in comparisons)
шанс	chance	путеше́ствовать	to travel
аргуме́нт	argument for, reason	посо́льство	embassy
состоя́ть в / из (imp.)	to consist of	ко́нсульство	consulate
прови́нция	province	значи́тельно	significantly
привиле́гия	privilege	соба́чий хо́лод	bitter cold
развлече́ние	amusement, thing to do	сухо́й	dry
звезда́	star	переноси́ться	to be bearable

3/37 Люде также надо подумать об образовании сына. В Москве, когда он окончит среднюю школу, будет широкий выбор специальностей в целом ряде ВУЗов. Иркутские университеты и ВУЗы тоже отличные, конечно, особенно Иркутский Лингвистический Университет, но в Москве у неё больше знакомых и поступить будет легче.

Автору неизвестно, какой путь выберет наша героиня. Ясно только то, что с Питером у них закончились романтические отношения, когда тот нашёл свою Шарон, и что Вадим увлёкся своей художественной работой и больше не проявляет к ней интереса.

Может быть, наша связь с Людой будет прекращена и мы, к сожалению, не узнаем, что у них с Русланом будет в жизни дальше.

образова́ние	education	худо́жественный	art (adjective)
вы́бор	choice	прекраща́ть / прекрати́ть	to break off
специа́льность	specialist subject		
це́лый	whole		
ВУЗ - Вы́сшее Учё́бное Заведе́ние	Higher Education Establishment		

3/38 Руслан долго не мог заснуть. Это была его последняя ночь в Иркутске. Рано утром он поедет с мамой на вокзал и начнётся их обратная дорога в столицу. В голове у Руслана кружилось много разных впечатлений от долгих летних каникул. Он вспоминал, как они ехали из Москвы, экскурсии по Иркутску, бассейн, футбольный стадион, поездку на Байкал и обед на даче, где он так неожиданно встретился с Иваном Козловым.

3/39 Когда Руслан, наконец, уснул, ему приснился ужасный сон. Он плыл один в лодке по огромному озеру. Вдруг из мутной воды появилась большая чёрная голова. Сначала Руслан подумал, что это Жирик, но потом он понял, что это сибирская Несси. Чудовище вынырнуло из-под воды и превратилось в гигантского комара. Комар трижды облетел вокруг Руслана, посмотрел на него огромными жёлтыми глазами, взял из его рук банку с английским кремом, прочитал ярлык на банке, засмеялся ужасным диким смехом и бросился на Руслана, который, к своему счастью, в этот момент проснулся. Наверное, он закричал во сне, потому что в комнату вбежала его мать.

3/40

- Ты чего испугался, сынок?
- Комара!
- Не надо их бояться. Комаров больше не будет. Сезон заканчивается.
- Мам, а в Байкале живёт Несси?
- Нет, Руська. Конечно, нет.
- А в Шотландии - точно живёт.
- Нет сынок, ты ошибаешься. Это была советская подводная лодка. А англичане думали, что это - динозавр.

И Люда оставалась рядом с ним в комнате, до тех пор, пока Руслан опять не заснул.

засыпа́ть / засну́ть	to go to sleep
кружи́ться / за-	to circle
впечатле́ние	impression
вспомина́ть / вспо́мнить	to remember
сни́ться / при-	to dream
сон	sleep, a dream
ло́дка	small boat
му́тный	murky
Не́сси	Loch Ness Monster
чудо́вище	monster
выны́ривать / вы́нырнуть	to dive up out of (sic)
превраща́ться / преврати́ться в	to turn into
гига́нтский	gigantic
три́жды	three times
облета́ть / облете́ть	to fly around
ярлы́к	label
ди́кий	wild
смех	laughter
к сча́стью	fortunately
просыпа́ться / просну́ться	to wake up
крича́ть / за-	to shout
вбега́ть / вбежа́ть	to run in
пуга́ться / ис-	to be frightened
сезо́н	season
ошиба́ться / ошиби́ться	to make a mistake
подво́дная ло́дка	submarine
диноза́вр	dinosaur
до тех по́р, пока́ ... не	until

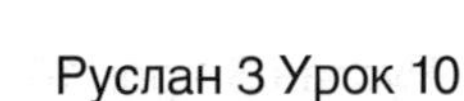

3/41

Юрий Михайлович Лужков

Родился в 1936 в Москве. Окончил Московский институт нефти и газа им. И.М. Губкина. Работал на руководящих должностях предприятий и организаций химической промышленности.

С 1987 - служит в системе органов исполнительной власти города: председатель Мосгорагропрома, председатель исполкома Моссовета, Вице-мэр, Премьер Правительства Москвы.
В 1992 сменил Г.Х. Попова на посту Мэра Москвы.

В 1996 и 1999 избирался Мэром Москвы.
В декабре 2003 вновь избран Мэром Москвы. (Он получил более 70% голосов). Это его последний срок правления, истекающий в 2008.

Член Государственного совета при Президенте РФ, представитель Российской Федерации в палате регионов Конгресса местных региональных властей Европы.
Награждён орденами Ленина, Трудового Красного Знамени, "За заслуги перед Отечеством", орденом Почёта, медалями "Защитнику свободной России", "За укрепление боевого содружества", "В память 850-летия Москвы", "В память 300-летия Санкт-Петербурга", тремя благодарностями Президента РФ, Лауреат государственных премий СССР и РФ, заслуженный строитель Российской Федерации.

Женат, имеет четверых детей.
Увлекается футболом, теннисом, пчеловодством.

Guess the words:
руководи́ть
власть
исполко́м
смени́ть
истека́ть
награждён
заслу́га
пчелово́дство

Пчёлы

3/42

Слушайте!

Прослу́шайте разгово́р с Лари́сой о Юрии Миха́йловиче Лужко́ве.

1. Что вы узна́ли из разгово́ра, о чём не напи́сано в те́ксте на э́той страни́це?
2. Объясни́те популя́рность Лужко́ва среди́ москвиче́й.

Темы для дискуссии

1. Как Вы ду́маете, что тако́е “Мосгорагропро́м”?
2. Ско́лько ордено́в и меда́лей Ю.М.Лужко́ва перечи́слено в те́ксте?

Зима в Сибири

Зимний Байкал

3/43

Зимние условия во всех районах Сибири бывают очень суровыми. На севере морозы начинаются в конце сентября, и в некоторых районах снег тает только в мае. Средняя январская температура в Новосибирске - минус 19 градусов, в Иркутске - минус 21 и в Якутске - минус 43. Самым холодным городом на планете считается Верхоянск.

При таких низких температурах жизнь сильно отличается от “нормальной жизни”. Нельзя проводить много времени на улице. Если потеряешь дорогу, можно погибнуть.

Земля замерзает на большую глубину, и копать её практически невозможно. Строительство и любые инженерные работы очень сложны. Речной транспорт останавливается после первых морозов. Когда лёд на реках становится прочным, по ним прокладывают “зимние магистрали” для машин. Автомобильные дороги в Сибири зимой покрываются плотно укатанным снегом. Машины ездят нормально, т.к. дороги при морозах не скользкие. Без лыж невозможно пройти по лесу, т.к. глубина снега достигает двух метров. Он очень рыхлый, и человек проваливается в него по пояс.

Как и по всей стране, жилые дома получают тепло от котельных, которые снабжают целый квартал или даже микрорайон. Когда котельная ломается, население остаётся без тепла. В крайних случаях местные власти обязаны эвакуировать людей.

Хорошо живётся в традиционных русских деревянных домах. В погребе уже есть запас картошки и свёклы. В кладовке - мясо, бочки с квашеной капустой и грибами и бочка замороженной брусники - запас на зиму нужных калорий и витаминов. Закрываем и заклеиваем двойные окна, топим печь дровами, на ночь закрываем трубу задвижкой, пьём горячий чай с блинами и вареньем и ждём весны.

Пишет Михаил Кукушкин.

Find the Russian for:
conditions
severe
to melt
to be different from
to spend time
to dig
building
hard, strong (of ice)
to lay (of a road)
compressed (of snow)
slippery
skis
powdery, soft (of snow)
to fall in
up to your belt
heating station
to supply
to break down
warmth
extreme
obliged
store
larder
soured
to tape up
firewood
chimney
a shutter

3/44

Прослушайте разговор с Мишей Кукушкиным о зиме в Якутии

1. Ра́ньше бы́ло тепле́е и́ли холодне́е в Яку́тии зимо́й?
2. От чего́ ло́паются батаре́и в дома́х, когда́ коте́льная не рабо́тает?
3. Из чего́ яку́ты шьют зи́мнюю оде́жду?
4. Каки́м о́бразом гото́вят моги́лу, когда́ кто-нибу́дь умира́ет? (а.) в дере́вне? (б.) в го́роде?
5. Объясни́те причи́ну э́тих ра́зличий.
6. Как Вы ду́маете, почему́ лю́ди продолжа́ют жить в Яку́тии при таки́х суро́вых усло́виях и не уезжа́ют отту́да?

3/45

ИГЛУ

Иркутский государственный лингвистический университет - ИГЛУ - является единственным подобного рода учебным заведением на территории Восточной Сибири и Дальнего Востока. ИГЛУ - крупный центр подготовки высококвалифицированных лингвистов. На 8 факультетах обучаются более 3,5 тыс. человек.

За 50 лет деятельности ИГЛУ подготовил свыше 15 тысяч высококвалифицированных специалистов, учителей иностранных языков, работающих в различных регионах страны и за рубежом, и повысил квалификацию более 1500 преподавателей иностранных языков.

IGLU

The Irkutsk State Linguistic University - IGLU - is the only ____________________________

____

in Eastern Siberia and the Far East.
IGLU is a large centre for the ______________

____

There are more than 3.5 thousand people ________________ in 8 faculties.

During its 50 years ____________________
IGLU has ______________________________
__________ 15,000 ____________________
_____________ specialists, teachers of foreign languages __________________________
_____________ of the country and
_____________, and has ______________
________________ of more than 1500 teachers of foreign languages.

Читайте! Кто что сказал?

1. Прочита́йте цита́ты. Как Вы ду́маете, кто что сказа́л, и при каки́х обстоя́тельствах?

Леонид Брежнев Джон Кеннеди Рональд Рейган Маргарет Тетчер Уинстон Черчилль Никита Хрущёв

д. "От Штеттина на Балтике до Триеста в Адриатике, железный занавес протянулся поперёк континента. По ту сторону воображаемой линии все столицы древних государств Центральной и Восточной Европы. Варшава, Берлин, Прага, Вена, Будапешт, Белград, Бухарест и София - все эти известные города и поселения вокруг них находятся в том, что я должен назвать Советской сферой, и всё подчинено, в той или иной форме, не только Советскому влиянию, но очень сильному и, во многих случаях, чрезвычайно сильному контролю Москвы."

а. "Мы оказали братскую помощь чешскому народу."

б. "Я - колбаса «Берлинер»!"

в. "Цель установки ракет с ядерным оружием заключалась не в нападении на США, а исключительно ради обороны Кубы. Мы хотели, чтобы США не напали на Кубу, вот и всё!"

г. "Это человек, с которым можно иметь дело."

е. "Я делаю первый важный шаг. Я направляю всестороннее интенсивное усилие на программу исследований и разработок, которая поможет достичь нашей конечной цели - устранения угрозы, создаваемой стратегическими ядерными ракетами."

ж. "Советы знали, что они применяли оружие против пассажирского самолёта."

з. Этот человек, наподобие бога, будто бы всё знает, всё видит, за всех думает, всё может сделать; он непогрешим в своих поступках. Такое понятие о человеке культивировалось у нас много лет.

2. Кто из э́тих изве́стных люде́й говори́л пра́вду, а кто - непра́вду? Аргументи́руйте своё мне́ние.

Холодная война

3/46

Понятие "холодная война" применяется к конфронтационному состоянию отношений между капиталистическим Западом и социалистическим Востоком в период после второй мировой войны.

На Западе обвиняют СССР в том, что холодная война произошла от его желания "советизировать" страны Восточной Европы, используя присутствие в них своих войск. А восточные страны обвиняли США в том, что их угроза использования атомного оружия стала основным генератором гонки вооружений и, в целом, "холодной войны".

Важные даты холодной войны

фев. 1945	Встреча Сталина, Черчилля и Рузвельта в Ялте.
июнь 1945	Испытание первой атомной бомбы США.
1946	Черчилль предупредил об угрозе железного занавеса.
1947	Трумэн вводит план Маршалла. 13 миллиардов долларов на помощь странам западной Европы.
1948-49	Блокада Берлина.
1949	Коммунисты пришли к власти в Китае. СССР испытывает атомную бомбу.
1950-53	Корейская война.
1953	Смерть Сталина.
1956	Хрущёв выступает против Сталина и "культа личности".
1956	Советские танки на улицах городов Венгрии.
1960	Американский самолёт-разведчик У-2 сбит над Уралом.
1961	Разделение Берлина стеной. Конфронтация на Кубе - "Бухта Свиней".
1962	Карибский кризис. Конфронтация Кеннеди с Хрущёвым.
1964	Брежнев стал Первым секр. ЦК КПСС.
1968	"Пражская весна". Брежнев посылает советские танки в Прагу.
1972	Первый договор ОСВ-1.
1975	Уход американцев из Сайгона.
1979	Второй договор ОСВ-2.
1982	Смерть Брежнева.
1983	Рональд Рейган объявил проект "Звёздных войн".
1983	Корейский пассажирский самолёт сбит над Сахалином.
1984	СССР не принимает участия в Олимпийских Играх в Лос-Анджелесе.
1984	Встреча Горбачёва с британским Премьером М. Тетчер в Лондоне.
1985	Горбачёв стал Генеральным секр. ЦК КПСС.
1989	Падение Берлинской стены.

Темы для дискуссии

1. Что Вы зна́ете о не́которых из собы́тий в да́нном спи́ске?
2. Каки́е други́е собы́тия мо́жно доба́вить в спи́сок?
3. Постара́йтесь запо́мнить хронологи́ческий поря́док собы́тий холо́дной войны́.
4. Кто, по Ва́шему мне́нию, был винова́т в возникнове́нии холо́дной войны́?
5. Как Вы ду́маете, каки́е причи́ны привели́ к концу́ холо́дной войны́?

Советская подводная лодка

Для дополнительной информации о начале холодной войны см. СД-Ром "Холодная Война" - Ruslan Limited. www.ruslan.co.uk/advanced.htm

3/47

Антон Павлович Чехов (1860-1904)

Чехов и Толстой в Ясной Поляне

Великий русский писатель 19-го и начала 20-го веков, Чехов родился в купеческой семье в Таганроге на юге России. Он учился на медицинском факультете Московского университета и стал земским врачом.

Чехов начал писать рассказы в 80-ые годы и вскоре стал знаменитым. В 1890 он побывал на острове Сахалин - в местах царской ссылки, и после возвращения написал книгу “Остров Сахалин”.
В 1892 он переехал в своё только что приобретённое имение Мелихово, где помогал местным крестьянам, строил школы, работал врачом и продолжал писать.
В 1895 Чехов посетил Ясную Поляну и познакомился с Л.Н. Толстым.

Среди известных произведений Чехова - рассказы “Мужики”, “Попрыгунья”, “Человек в Футляре” и др., повесть “Дама с собачкой” и пьесы: “Чайка”, “Три Сестры”, “Вишнёвый Сад” и др.

Здоровью писателя повредила поездка на Сахалин. Он долго болел туберкулёзом, и в 1904 он умер в немецкой больнице.

Чехов заслужил репутацию настоящего русского интеллигента. Он писал лаконичным и красивым простым русским языком. Его герои правдиво отражали мысли и чувства своего поколения. В пьесе “Вишнёвый Сад” обогатившийся мужик, новый капиталист Лопахин, вырубающий вишнёвый сад, символизирует ту угрозу, которую представлял 20-ый век русской аристократии. В монологе Сони в пьесе “Дядя Ваня” Чехов показывает безнадёжность мечты этого поколения о “светлом будущем”:

Find the words:
merchant family
country doctor
famous
island
estate
peasant
(literary) works
grasshopper
seagull
cherry (adj.)
to harm
to earn
an intellectual
laconic
a feeling
to cut down
to symbolise
threat
aristocracy
hopelessness

 3/48

* *«Мы будем жить. Проживём длинный ряд дней, долгих вечеров... будем трудиться для других и теперь, и в старости, не зная покоя, а когда наступит наш час, мы покорно умрём, и там, за гробом, мы скажем, что мы страдали, что мы плакали, что нам было горько, и Бог сжалится над нами, и мы с тобою, милый дядя, увидим жизнь светлую, прекрасную, изящную, мы обрадуемся, и на теперешние наши несчастья оглянемся с умилением, с улыбкой, и отдохнём... Мы услышим ангелов, и увидим все небо в алмазах... и наша жизнь станет тихою, нежною, сладкою, как ласка... Мы отдохнём”*».

* Сокращённый отрывок из пьесы “Дядя Ваня”.

to work, toil
old age
peace
obediently
the grave
to suffer
bitter
to take pity on
present (adj.)
unhappiness
to look back on
tender emotion
diamonds
a caress

Темы для дискуссии

1. Каки́е произведе́ния Че́хова Вы чита́ли и́ли ви́дели на сце́не? Как они́ Вам понра́вились и почему́?
2. Назови́те три причи́ны, почему́ сто́ит чита́ть Че́хова.

Читателю, конечно, хотелось бы узнать...
The reader, of course, would like to know ...
There are several examples of the conditional tense with бы in this lesson. In this case хотéлось бы - "would like to" - is used indirectly with the dative.

повседневный - everyday
This means "everyday" in the sense of "ordinary", "might happen at any time". Do not confuse повседнéвный with ежеднéвный which means "daily".

в ближайшие годы - in the next few years
This is an alternative superlative. The ending -ейший or -айший is used. Superlatives using -ейший can be formed from a small number of adjectives, mainly adjectives with a stem with a single syllable.

важнéйший вопрóс	-	a most important question
нет ни малéйшего сомнéния	-	there is not the slightest doubt

Superlatives ending in -жайший are normally formed from adjectives with stems that end in -г:

стрóгий учи́тель	-	a strict teacher
строжáйший учи́тель	-	a most (very) strict teacher
сáмый стрóгий учи́тель	-	the strictest teacher
(в шкóле)		(in the school)

Our example ближáйший - from бли́зкий - is slightly irregular, with the letters -зк- mutating to -ж-. You have also met: ближáйшая стáнция - "the nearest station".

на деньги от продажи квартиры - with the money from the sale of the flat
In this context на is translated as "with".

Она пó уши в долгах. She is up to her ears in debt.
по is used with the accusative to render "up to" in the sense of "as high as":

по пóяс в снегу́	-	up to your waist in snow
Я по гóрло сыт э́тим!		I am fed up with this!

Note the transfer of the stress in пó уши.

купить дачу под Иркутском - to buy a dacha near Irkutsk
под is used with the instrumental of towns to convey "near" or "in the region of":

сражéние под Москвóй - the battle in the Moscow region

заводить / завести - to acquire (an animal) or to start (an engine)
This has the past perfective endings:

я, ты, он завёл
я, ты, онá завелá
мы, вы, они́ завели́

Мои́ стáрые Жигули́ заводи́лись хорошó при ми́нус 30!
My old Zhiguli used to start up well when it was minus 30!
(Жигули́ is a plural noun for a Lada car.)

But note: приобретать / приобрести - to acquire (something valuable)
This has the past perfective endings:

я, ты, он приобрёл
я, ты, онá приобрелá
мы, вы, они́ приобрели́

разводить / развести - to rear (an animal)
Note the meanings :
Он завёл кро́ликов. He acquired some rabbits.
Он разво́дит кро́ликов. He rears rabbits.
From разводи́ть / развести́ derives the noun:
разведе́ние - "the rearing of"

Note the different meaning of разводи́ться / развести́сь - "to get divorced".

Иркутск считается далёкой провинцией.
Irkutsk is considered a distant province.
счита́ться - "to be considered" - is used impersonally in the third person and is followed by the instrumental.
Они́ счита́лись хоро́шими специали́стами.
They were considered to be good specialists.

концерты западных звёзд - the concerts of Western stars
звезда́ - "a star" - changes -е- to -ё- in the plural:
звёзды, звёзды, звёзд, звёздам, звёздами, о звёздах

иркутяне - people from Irkutsk
This type of word is more common in Russian than in English. We have a few words denoting people from particular towns - "Londoner", "Liverpudlian". In Russian such words exist for most towns. They can be formed with:

-анин or -янин	-	иркутя́нин, мурманча́нин
-ич	-	москви́ч, томи́ч
-ец	-	воро́нежец, петербу́ржец
-як	-	туля́к

and they all have feminine forms:
иркутя́нка, мурманча́нка, москви́чка, томи́чка, воро́нежка, петербу́рженка, туля́чка.

If in doubt, or if the probable word sounds unusual or amusing, it is safer to use a construction with жи́тель:
Криво́й Рог - жи́тель Криво́го Ро́га

Вадим увлёкся своей работой. Vadim has immersed himself in his work.
увлека́ться / увле́чься - "to immerse oneself in" has the past perfective endings:
я / ты / он увлёкся
я / ты / она́ увлекла́сь
мы / вы / они́ увлекли́сь
увлека́ться / увле́чься is followed by the instrumental case.

... что у них с Русланом будет в жизни дальше
- ... what will be in her life with Ruslan in the future
у них is used here as we are talking about two people.

Руслан долго не мог заснуть. Ruslan could not go to sleep for a long time.
While просыпа́ться / просну́тья - "to wake up" - is reflexive, засыпа́ть / засну́ть - "to go to sleep" - is not. The verb усну́ть is also used for "to go to sleep" and has no imperfective form.

впечатления от летних каникул - impressions of the summer holidays
To translate "an impression of" use впечатле́ние от plus the genitive case.

Руслану приснился ужасный сон. **Ruslan had a terrible dream.**
сни́ться / присни́ться is used in the third person with the dative case to express "to have a dream".

Это была сибирская Несси. **It was the Siberian Nessie.**
This monster is feminine in Russian.

Она вынырнула из-под воды. **She dived up out of the water.**
из-под is used with the genitive to convey "out of" when there is movement upwards, or from underneath something.

Комар трижды облетел вокруг Руслана.
The mosquito flew three times round Ruslan.
There are three words of this type in Russian, used in rhymes, stories, etc. and occasionally in ordinary speech:

два́жды - twice
три́жды - three times
четы́режды - four times

thereafter use пять раз, шесть раз, etc.

Note that одна́жды means "once" in the sense "once upon a time".

Мам, а в Байкале живёт Несси? **Mummy, is there a Nessie in Baikal?**
This is a further example of a vocative case that has disappeared in modern Russian except in certain common expressions (see lesson 9) and as here in colloquial speech with the diminutive names of family members or close friends. Examples:

Пап, приве́т!	Hi dad!
Ната́ш, иди́ сюда́!	Natasha, come here!
Коль, переда́й пе́рец!	Kolya, pass the pepper!
Серёж, скажи́ ему́ "спаси́бо"!	Seryozha, say "thankyou" to him!
Тёть, дай нам моро́женое!	Auntie, give us an ice-cream!

You are unlikely to use the vocative when writing, but note that it is formed by removing the -а or -я from the noun or the diminutive name. Where -я is removed it is replaced by -ь.

де́душка and ба́бушка have the vocative де́да and ба or бабу́ль (from бабу́ля).

до тех пор, пока Руслан снова не заснул
- until Ruslan went to sleep again
In this structure the particle не is inserted.

Яку́ты или якуты́?
You may have noticed different stresses on this word and on others in "Ruslan 3". In this case the "correct" version is яку́ты although the common version used in Yakutia is якуты́. Such variation of stress is not unusual in Russian, and can be taken to be a sign of an uneducated background. However even some top politicians have been renowned for their mistakes with Russian stress!

УРОК 10 — Упражнения

1. Вопросы к тексту

а. Каку́ю пробле́му реша́ет Лю́да?
б. Каки́е аргуме́нты за то́, что́бы перее́хать жить в Ирку́тск?
в. По каки́м причи́нам она́ мо́жет оста́ться в Москве́?
г. Что, по-ва́шему, она́ вы́берет?
д. Что бы Вы сде́лали на её ме́сте?
е. Почему́ Русла́н не мог засну́ть?
ж. От чего́ он пото́м просну́лся?
з. Ду́маете ли Вы, что в Шотла́ндии живёт Не́сси?
и. Ду́маете ли Вы, что в Байка́ле живёт Не́сси?
к. Ду́маете ли Вы, что в Сиби́ри живёт "сне́жный челове́к"?

2. Словосочетания

Find the word combinations that make sense and fit grammatically:

а. отноше́ния ______________
б. экономи́ческие ______________
в. потре́бности ______________
г. ближа́йшие ______________
д. да́ча ______________
е. пое́здка ______________
ж. ма́ло ______________
з. иностра́нное ______________
и. соба́чий ______________
к. сре́дняя ______________
л. после́дняя ______________
м. обра́тная ______________
н. подво́дная ______________
о. ежеме́сячный ______________
п. счастли́вый ______________
р. широ́кий ______________

доро́га
усло́вия
ша́нсов
за́ городом
ло́дка
шко́ла
го́ды
ме́жду людьми́
посо́льство
хо́лод
повседне́вной жи́зни
коне́ц
за грани́цу
ночь
вы́бор
журна́л

3. Choose verbs to fill the gaps, adding past tense endings

а. Он ________________, что прие́хал без приглаше́ния.
б. Он ________________ отноше́ния с ней.
в. Ла́ра ________________ но́вую шу́бу.
г. Они́ ________________ вечери́нку в клу́бе.
д. Пётр Пе́рвый мно́го ________________.
е. Нет, вы ________________!
ж. Они́ ________________ э́тим де́лом.
з. Мой де́душка ________________ сиа́мского кота́.
и. Де́вочка ________________ в крова́ть и сра́зу ________________.
к. Мы ча́сто ________________ о пое́здке на юг.

приобрести́ - завести́ - устро́ить - ошиби́ться - путеше́ствовать
засну́ть - лечь - возобнови́ть - призна́ться - увле́чься - вспомина́ть

4. Choose words to fill the gaps, changing the endings as necessary

а. _______________ хоте́лось бы знать.
б. Нам нужна́ ва́ша _______________.
в. Он купи́л да́чу под _______________.
г. Моя́ мать завела́ _______________.
д. Этот райо́н счита́ется далёкой ____________.
е. Их _______________ зако́нчились
ж. У меня́ оста́лось мно́го я́рких _______________.

поддéржка - Сама́ра - отношéние - впечатлéние - кот
провинция - чита́тель

5. Choose words to fill the gaps, changing the endings as necessary

а. Мне присни́лся ужа́сный _______________.
б. Инстру́кция была́ напи́сана на _______________.
в. Мы привяза́ли _______________ недалеко́ от при́стани.
г. У неё нет вы́сшего _______________.
д _______________ мэ́ра улетéли к сосéду.
е. Он отда́л билéт в кино́ _______________.
ж. В столи́це мно́го ра́зных _______________.

развлечéние - ярлы́к - ло́дка - сон - образова́ние
пчёлы - знако́мый

6. Give one word for the following

а. Человéк, кото́рый чита́ет. _______________
б. Человéк, кото́рый слу́шает. _______________
в. Человéк, кото́рый ло́вит ры́бу. _______________
г. Человéк, кото́рый ру́бит лес. _______________
д. Человéк, кото́рый перево́дит. _______________
е. Человéк, кото́рый покупа́ет. _______________
ж. Человéк, кото́рый продаёт. _______________
з. Человéк, кото́рый у́чит. _______________
и. Человéк, кото́рый во́дит маши́ну. _______________
к. Человéк, кото́рый у́чится. _______________
л. Человéк, кото́рый поёт. _______________
м. Человéк, кото́рый разво́дит пчёл. _______________

7. Fill the gaps with superlatives in -ейший or -айший formed from the adjectives given

а. Они́ дошли́ пешко́м до _______________ ста́нции.
б. Вы подня́ли _______________ вопро́с.
в. У меня́ нет ни _______________ сомнéния.
г. У неё была́ репута́ция _______________ преподава́тельницы.
д. На террито́рии Ирку́тской о́бласти дéйствуют три _______________ ГЭС Росси́и.

ма́лый - кру́пный - стро́гий - бли́зкий - интерéсный

8. Work out the towns that the following come from:

москви́ч
нижегоро́дец
уфи́мец
арха́нгелогоро́дец
мурманча́нин
томи́ч
толья́ттинец
сама́рец
одесси́т
екатеринбу́ржец
челни́нец
ми́рнинец

псковитя́нка
ленча́нка
куря́нка
оми́чка
ло́ндонка
парижа́нка
алмати́нка
тбили́сска
туля́чка

9. What would you expect to be the masculine, feminine and plural names of inhabitants of the following towns?

Воро́неж
Челя́бинск
Уфа́
Новосиби́рск
Улья́новск
Каза́нь
Росто́в на Дону́
Магада́н
Братск

Владиво́сто́к
Пермь
Криво́й Рог
Минск
Ри́га
Та́ллинн
Санкт-Петербу́рг
Па́влово на Оке́
Бирминге́м

УРОК 10 — Языковая практика

1. Пишите! Ваш сон

а. Напиши́те о сне, кото́рый Вам одна́жды присни́лся.
- Что Вам присни́лось?
- Где Вы бы́ли в э́том сне?
- Кто там ещё был?
- Что там произошло́?
- Как Вы ду́маете, почему́ Вам присни́лся э́тот сон?

б. Расскажи́те об э́том сне други́м студе́нтам и́ли преподава́телю.

2. Пишите! День сенсаций

а. Как изве́стно, Росси́я сейча́с меня́ется о́чень бы́стро. Вам присни́лся сон о том, как Вы чита́ете газе́ту о це́лом ря́де сенсацио́нных собы́тий (стр. 179).

Обсуди́те в гру́ппе, что случи́лось в э́тот необы́чный день.

Напиши́те своему́ дру́гу письмо́ о том, что случи́лось. Напиши́те не́сколько предложе́ний о ка́ждом собы́тии.

б. Вы́берите три заголо́вка в газе́те и напиши́те по́лный текст к ним.

МОСКОВСКАЯ ПРАВДА

ЕЖЕДНЕВНАЯ ГАЗЕТА

Жигули обанкротили Мерседес

ДЕНЬ ГОРОДА

Абрамович купил московский "Спартак"

Комар записан в Красную Книгу!

Испанцы отдыхают в Мурманске

Русский язык стал вторым в мире

БЦБК закрыли

Сборная России побеждает в чемпионате мира

Россия выходит на 3-е место в мире по уровню жизни

США на предпоследнем месте

Уровень безработницы в РФ составил 0.5%

МВФ опять просит у России кредит

В Москве решены проблемы с общественным транспортом

НОВОСТЬ

Последний чеченский боевик сдал оружие

Цена на бензин упала до 2-х рублей за литр

Средний месячний доход на человека в РФ составляет 60.000 рублей

Россия - самая экологически чистая страна

3. Как Вы думаете - это правда или нет и почему? Аргументируйте своё мнение!

а. В Шотла́ндии нет и никогда́ не́ было "Не́сси". Во вре́мя холо́дной войны́ там была́ сове́тская подво́дная ло́дка. А англича́не ду́мали, что э́то - диноза́вр.

б. Во вре́мя холо́дной войны́ америка́нцы сбра́сывали колора́дских жу́ков на Росси́ю со спу́тников.

3/49 Прослу́шайте разгово́р с Лари́сой на э́ту те́му. Вы с ней согла́сны?

в. Америка́нцы не лета́ли на Луну́. Фильм об их поса́дке был снят в Голливу́де.

3/50 **4. Путешествие в Москву за визой. Слушайте!**

Прослу́шайте, как Ольга Пичу́гина говори́т о том, как она́ гото́вится к поéздке из То́мска в Англию.

а. Найдите следующие выражения:

Loved by many generations of students
As soon as ...
You will meet the problem ...
The point is that ...
You have a choice
You are short of time
A luxury you cannot afford
It is much more expensive than ...
I have no one to stay with
On my arrival in the capital
You are not the only one who got up so early
To think about the meaning of life
A friendly lady
Waiting for your interview
One more step
There was no guarantee
If you are lucky
To forget about all your problems
Sweet music

б. Эта информация правильна? Да или нет?

- В То́мске ма́ло студе́нтов.
- Из То́мска в Москву́ мо́жно добра́ться и самолётом, и по́ездом.
- Железнодоро́жный биле́т деше́вле, чем авиабиле́т.
- То́мская университе́тская гости́ница в Москве́ нахо́дится ря́дом с Брита́нским посо́льством.
- Если собесе́дование в посо́льстве пройдёт успе́шно, то Вы сра́зу полу́чите па́спорт с ви́зой.
- Посо́льство не даст ви́зы, е́сли у Вас нет авиабиле́та в Англию.
- Авиабиле́т мо́жно купи́ть в аге́нстве.

5. Объясните по-русски

Объясни́те проце́сс получе́ния ви́зы для поéздки в Англию для жи́теля То́мска и́ли како́го-либо друго́го отдалённого го́рода.

6. Составьте диалоги!

а. Лю́да ещё раз звони́т Тама́ре в Москву́.

Люда	**Тамара**
Лю́да здоро́вается с Тама́рой и говори́т, что звони́т ей для серьёзного разгово́ра, так как нужда́ется в сове́те подру́ги.	Тама́ра спра́шивает, что случи́лось.
Лю́да отвеча́ет, что она́ не уве́рена, как ей поступи́ть.	Тама́ра переспра́шивает, в чём же де́ло.
Воскли́кнув «Ой, То́мка, не могу́ реши́ться!», Лю́да объясня́ет, что у неё возни́кла иде́я навсегда́ перее́хать в Ирку́тск.	Пе́рвая реа́кция Тама́ры о́чень спонта́нна, она говори́т, что Лю́да сошла́ с ума́.
Лю́да объясня́ет Тама́ре преиму́щества жи́зни в далёкой сиби́рской прови́нции: жизнь деше́вле; на де́ньги, полу́ченные от прода́жи моско́вской кварти́ры, мо́жно купи́ть дворе́ц под Ирку́тском. У неё там есть уже́ не́сколько покло́нников. Недалеко́ хоро́шая шко́ла для Русла́на. В Сиби́ри гора́здо ме́ньше ду́рных собла́знов для сы́на.	Тама́ра отвеча́ет, что всё э́то, коне́чно, так, но, уе́хав из Москвы́, Лю́да потеря́ет о́чень мно́гое. Она́ начина́ет перечисля́ть все преиму́щества Москвы́.
На э́то Лю́да говори́т, что в столи́цу всегда́ мо́жно прие́хать в о́тпуск.	
Она́ бы́стро проща́ется с Тама́рой, потому́ что верну́лся с ры́нка дя́дя Ко́ля. Она́ хо́чет поговори́ть с ним о перее́зде.	Тама́ра говори́т, что она́ перезвони́т че́рез полчаса́, что́бы отговори́ть Лю́ду от тако́й дура́цкой иде́и.

Соста́вьте са́ми их второ́й разгово́р!

нужда́ться в	-	to need
реши́ться	-	to make up one's mind
сойти́ с ума́	-	to go mad
преиму́щество	-	an advantage
дворе́ц	-	a castle
покло́нник	-	suitor
дурно́й	-	bad
собла́зн	-	temptation
отговори́ть	-	to dissuade

б. Разгово́р Лю́ды с дя́дей Ко́лей.

Люда	**Дядя Коля**
Лю́да расспра́шивает дя́дю Ко́лю о ры́нке. Что он купи́л? С кем встре́тился?	Приду́майте са́ми отве́ты дя́ди Ко́ли.
Лю́да спра́шивает дя́дю Ко́лю, бу́дет ли ему́ ску́чно, когда́ они́ уе́дут в Москву́.	Дя́дя Ко́ля отвеча́ет, что, коне́чно, ему́ опя́ть ста́нет о́чень одино́ко. Приду́майте са́ми, почему́.
Лю́да осторо́жно спра́шивает, хоте́л ли бы он постоя́нно жить с ней и Русла́ном одно́й семьёй.	Дя́дя Ко́ля говори́т, что э́то бы́ло бы для него́ про́сто сча́стье.
Лю́да признаётся, что ду́мает об э́том постоя́нно всю после́днюю неде́лю.	Дя́дя Ко́ля ра́достно реаги́рует на её слова́.
Лю́да объясня́ет, что она́ могла́ бы прода́ть свою́ моско́вскую кварти́ру, а на э́ти де́ньги купи́ть да́чу под Ирку́тском, где дя́дя Ко́ля смог бы копа́ться в огоро́де и рыба́чить вме́сте с Русла́ном ра́нними ле́тними у́трами.	Дя́дя Ко́ля опя́ть проявля́ет свою́ ра́дость по э́тому по́воду. Он добавля́ет, что и о́тец Русла́на живёт здесь, и э́то о́чень хорошо́ для ма́льчика. Он говори́т, что́бы Лю́да как мо́жно скоре́е организо́вывала перее́зд из Москвы́, а он за э́то вре́мя устро́ит Русла́на в шко́лу (он, коне́чно, зна́ет но́вого дире́ктора) и пои́щет рабо́ту для Лю́ды.
Лю́да на э́то отвеча́ет, что оконча́тельного реше́ния она́ ещё не приняла́, но склоня́ется к перее́зду.	

Приду́майте са́ми подходя́щую концо́вку для э́того разгово́ра.

постоя́нно	-	permanently
копа́ться	-	to do things (копа́ть is "to dig")
по э́тому по́воду	-	about that
перее́зд	-	a move
оконча́тельный	-	final
склоня́ться к	-	to tend towards

в. Русла́н расска́зывает дя́де Ко́ле про свой сон.

Руслан	**Дядя Коля**
Русла́н спра́шивает дя́дю Ко́лю, хо́чет ли он послу́шать, како́й ему́ присни́лся сон.	Дя́дя Ко́ля отвеча́ет, что хо́чет.
Русла́н расска́зывает, как он уви́дел во сне чудо́вище, кото́рое снача́ла при́нял за соба́ку, а пото́м по́нял, что э́то кома́р.	Дя́дя Ко́ля сове́тует Русла́ну бо́льше не смотре́ть пе́ред сном по телеви́зору америка́нские ужа́стики.
Русла́н уверя́ет дя́дю Ко́лю, что кино́ тут ни при чём, что э́то не от фи́льма.	Дя́дя Ко́ля отвеча́ет, что всё-таки по телеви́зору пока́зывают сли́шком мно́го сцен наси́лия.
Русла́н соглаша́ется, но говори́т, что всё-таки интере́сно.	

ужа́стик (slang) - horror film
наси́лие - violence

г. В купе́ по́езда по доро́ге в Москву́ Лю́да заво́дит разгово́р с сы́ном о его́ отце́.

Люда	**Руслан**
Лю́да спра́шивает, понра́вился ли Русла́ну Игорь Абра́мович.	Русла́н отвеча́ет, что понра́вился.
Лю́да говори́т, что Русла́н уже́ большо́й ма́льчик и что ей ну́жно с ним поговори́ть о серьёзном де́ле.	Русла́н соглаша́ется.
Лю́да предупрежда́ет Русла́на, что э́то по по́воду его́ отца́.	Русла́н молчи́т.
Лю́да говори́т Русла́ну, что Игорь Абра́мович – его́ оте́ц.	Русла́н замеча́ет, что тепе́рь ему́ всё поня́тно. Он спра́шивает, почему́ Лю́да не сказа́ла ему́ об э́том ра́ньше.
Лю́да спра́шивает Русла́на, хо́чет ли он, что́бы они́ перее́хали в Ирку́тск побли́же к отцу́ и на́чали с ним регуля́рно встреча́ться.	Русла́н спра́шивает, как же он расста́нется со свои́ми моско́вскими друзья́ми.
Лю́да отвеча́ет, что он смо́жет перепи́сываться с ни́ми по электро́нной по́чте, звони́ть и встреча́ться во вре́мя кани́кул, а в Ирку́тске у него́ ско́ро появя́тся но́вые друзья́ в но́вой шко́ле.	Русла́н говори́т, что он, коне́чно, хоте́л бы встреча́ться с отцо́м и что ему́ понра́вился его́ дом и больша́я неме́цкая овча́рка.

Приду́майте са́ми концо́вку для э́того разгово́ра!

предупрежда́ть - to warn

3/51

Прослушайте песню Тимура Шаова “Мы пойдём своим путём”

Найдите следующие слова и выражения:

“They have a conversation about the fate of Russia”
“What is our country's strategic direction?”
“They get together and swear”
“Writers” - “Politicians” - “Politologists” - “Analysts”
“They are searching stubbornly, they can't find the route that we should take”
“It's not easy to live in a time of transition”
“Well, just be patient, my friend!”
“We, they say, will teach you to love the Fatherland!”
“They say the Abramoviches have taken everything”
“Cabbage soup and buckwheat porridge is our food”
“What will help us in these evil times?”
“Your money will be ours. That is business, Gentlemen!”
“Let us not get lost on the road to prosperity!”
“As a vagrant said to me ...”
“Let's go! But each his own way!”

Timur Shaov's work is rich in cultural references and full of irony. He sings clearly and pronounces well, but the language is difficult and will certainly give you a challenge beyond Ruslan 3!

Полный текст песни Вы найдёте на сайте www.ruslan.co.uk
Информация о концертах Т. Шаова доступна на сайте www.shaov.ru

Тимур Султанович Шаов
В одной из своих песен Тимур Шаов называет себя “лицом кавказской национальности”. Родился он в городе Черкесске, а учился в Ставропольском медицинском институте. Вслед за великими русскими литераторами Чеховым и Булгаковым, он начал свою карьеру как “доктор сельский” и трудился на этом поприще не много, не мало - 12 лет. Тимур Шаов живёт в Москве. Он - автор книги стихов и восьми компактных дисков песен.

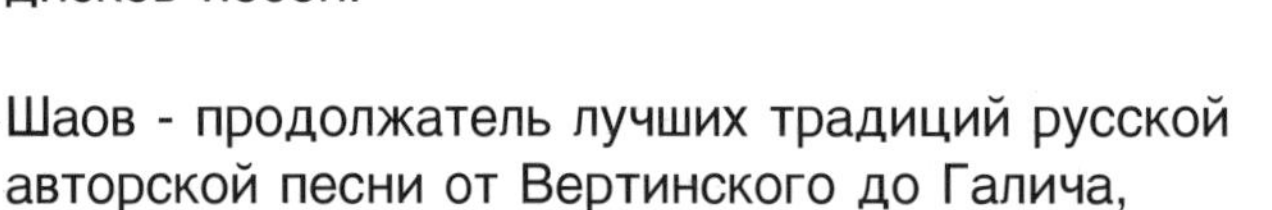
Шаов - продолжатель лучших традиций русской авторской песни от Вертинского до Галича, Окуджавы и Кима. Характерной чертой его творчества можно назвать мастерское использование литературных, музыкальных и культурологических цитат. Понимать его песни можно на самых разных уровнях, всё зависит от подготовленности слушателя. Вам не всегда будет всё понятно, если Вы недостаточно хорошо знакомы с русской культурной и литературной традицией, а в особенности - с сегодняшней политической обстановкой. Песни Шаова исключительно злободневны и современны. В этом смысле его творчество представляет собой уникальный материал для человека, интересующегося сегодняшней Россией и желающего выучить русский язык сегодняшнего дня.

И последнее, если Вы побываете в Москве или в других городах России, не пропустите концерт Тимура Шаова, сходите на него и получите удовольствие от его авторского исполнения.

Пишет Таня Нусинова